D1253847

1781

Fritz J. Raddatz

HEINE

Ein deutsches Märchen

Essay

Hoffmann und Campe

Frontispiz: Heines Totenmaske
(Foto: Heinrich-Heine-Institut, Düsseldorf)
Bibliographie, Anmerkungen und Quellennachweise
ab Seite 151

1. bis 7. Tausend 1977

Gesetzt aus der Korpus Garamond-Antiqua
Satzherstellung A. Utesch, Hamburg
Druck- und Bindearbeiten
Süddeutsche Verlagsanstalt, Ludwigsburg
ISBN 3-455-06011-0 · Printed in Germany

Es ist mir nichts geglückt in dieser Welt.

Heine an seine Mutter

Die Mouche hieß nicht Mouche, Mathilde nicht Mathilde, und Heinrich Heine hieß nicht Heinrich Heine. Auf seinem Geburtsschein steht Harry, und auf dem Grabstein stand Henri. Er war Jude, aber getauft; »baptisé, non converti«. Er stammte aus bravem Kleinbürgertum, aber die Ortsangabe »van« im mütterlichen Geburtsnamen änderte er in ein adliges »von«. Er war geboren als der »erste Mann des Jahrhunderts«, wie er sich zu nennen liebte, doch sein Geburtsdatum liegt wohl wesentlich früher; exakt ist es bis zur Stunde nicht verifiziert. Er starb mit gleich vier als wahr überlieferten »letzten Worten« auf den Lippen; zumindest zwei davon schillernde Aperçus, die von ihm erfunden sein könnten: »N'ai pas peur, ma chère«, sagte er zu seiner betenden Frau, »Dieu me pardonnera; c'est son métier.« – »Pouvez-vous siffler?« fragte der Arzt: »Hélas, non: pas même les pièces de Monsieur Scribe.« Der letzte Brief ist eine Bitte, 25 Victor-Emanuel-Eisenbahnaktien zu kaufen, und die letzte Melodie, die ein Leierkasten vor dem Fenster des Sterbenden spielte, war des gehaßten Meyerbeers »Das Gold ist nur Chimäre«. Er demütigte den Baron Rothschild vor Gästen, indem er dessen Erzählung beim Diner, das Wasser der verschmutzten Seine sei an der Quelle klar und rein, süffisant mit einem »Ihr Herr Vater soll auch ein

so rechtschaffener Mann gewesen sein, Herr Baron« kommentierte; und er intervenierte gleichzeitig (und erfolgreich) bei seinem Verleger Campe gegen die Veröffentlichung eines Anti-Rothschild-Pamphlets. Er badete das Kind von Karl Marx und nannte den »ein Scheermesser«. Er hieß sich hundearm, doch hatte er im Jahre vor seinem Tode ein Einkommen von DM 200 000,–, viele Jahre hindurch nicht viel darunter; der Minister und Geheimrat Johann Wolfgang von Goethe verdiente zu seinen Lebzeiten weniger. Er galt als der politisch-revolutionäre Dichter Deutschlands – und wurde weder ausgewiesen noch verhaftet, noch auf polizeilichen Listen geführt; statt dessen verhandelte er mit Metternich und der preußischen Regierung und sagte schon im Jahre 1846, »ich bereue es, die wenigen politischen Gedichte veröffentlicht zu haben, die ich schrieb«. Er stellte wie kein Dichter vor ihm so keck wie melancholisch sein Ich heraus, aber das »Ich« seiner Gedichte ist nicht das seine: »Bei mir wenigstens paßt es nie.« Ein Leben hinter Larven. Heinrich Heine, der unbekannte Dichter.
Heinrich Heine ist ein Plural. Wer irgend meint, ihn hier fassen, dort festlegen zu können, hat nichts von ihm begriffen. »In mir habt ihr einen, auf den könnt ihr nicht bauen« – wenn je das entzieherische Wort eines seiner Nachfahren zutraf, wenn es je die schwebende, nie fixierbare Pirouette des Künstlers gab, deren Schönheit aus Bewegung besteht, deren Delikatesse im Stillstand zerbricht: dann bei Heine. Nichts stimmt bei ihm; alles stimmt. Wer mit hergebrachten Normen zu urteilen sucht,

gleicht dem klüglichen Aviatiker, der sagt: »Tauben zum Beispiel fliegen falsch.« Heinrich Heine war Artist. Was er wollte, war nichts als die Künstlerperfektion, nichts als die Sprache zum Tanzen bringen – nicht die Zustände. Wer Felsenfestes von Moral und Überzeugung, Gesittung und Gesinnung des Heinrich Heine erwartet, erhält zur Antwort das Kichern des Echos.
Heines pseudonyme Fallenstellerei – seine ersten Gedichte erschienen unter dem aus »Düsseldorf« und »Harry Heine« gebildeten Häßlichkeitsanagramm »Sy Freudhold Riesenharf« – erinnert durchaus an das Versteckspiel eines anderen, der oft zu seinem »Nachfahren« ausgerufen wurde, der aber selber dazu sagte, »Heinrich Heine war ein Jahrhundertkerl – ich bin ein Talent«; auch er protestantisch getaufter Sohn aus jüdischem Bürgertum, auch er Doktor der Jurisprudenz, gefürchteter Journalist und Frankreichemigrant, dessen Grab nicht in Deutschland liegt: an Kurt Tucholsky. Der Schulaufsatz »Heine und Tucholsky – Gemeinsames und Trennendes« ist hier nicht zu schreiben, zu konstatieren aber ist Gemeinsames: extreme Verletzlichkeit, verdornt durch Aggressivität. Eine große Inszenierung, um hinter Schalmeienspiel und Zwinkertanz eines zu verbergen: sich. Grundgefühl war: Angst. »Indessen, man wird sie nicht lieben«, so hieß die erste (gesprochene) Kritik zu Heines Gedichten.
Bei Heine geht das Inszenatorische weit. Es beginnt mit der ersten Zeile – und es endet nie. Sein allererstes Gedicht, vom Dreizehnjährigen den Eltern dargebracht, stammt – nicht von ihm. Man konnte es bereits im Göttinger

Musenalmanach auf das Jahr 1777 finden. Die musische Mutter, perfekt in lateinischer, englischer und französischer Lektüre, Schülerin Rousseaus und Verehrerin Goethes – dessen Bücher sie vor dem Vater verbarg –, war wesentlich eine Kunstfigur des später berühmten Sohnes. »Meine Mutter hat schönwissenschaftliche Werke gelesen, und ich bin ein Dichter geworden; meines Onkels Mutter dagegen hat den Räuberhauptmann Cartouche gelesen, und Onkel Salomon ist Bankier geworden«, das ist ein Aperçu. Die Familiengeschichte berichtet anderes. Wenn es etwa so schön im »Wintermärchen« heißt:

»Zu Bückeburg stieg ich ab in der Stadt,
Um dort zu betrachten die Stammburg,
Wo mein Großvater geboren ward;
Die Großmutter war aus Hamburg« –

so stimmt nur der Reim. Die »Stammburg« ist ein bescheidenes einstöckiges Häuschen, in dem eine kleine Kneipe untergebracht ist, und die heißt »Zur Falle«.
Von den Zeitgenossen, die Betty Heine kannten, weiß keiner von besonderer Bildung zu berichten, gar von Flötenspiel und Rousseau-Lektüre. Vor der im übrigen dem Sohne auch gegraust hätte – niemanden haßte er so wie den Rigoristen Rousseau, Vordenker der Montagnards und Ahn der Saint-Just und Robespierre:

»Das sind die Folgen der Revolution
Und ihrer fatalen Doktrine;

An allem ist schuld Jean Jacques Rousseau,
Voltaire und die Guillotine.«

Heines Mutter beherrschte Deutsch so mangelhaft wie etwa Karl Marx' Mutter, sie schrieb es mit hebräischen Buchstaben und hatte Angst vor der Poesie. Sie war übrigens verwandt mit der Großmutter Walter Benjamins, so wie Heine auch ein entfernter Verwandter von Karl Marx war. Romane riß sie dem Sohn aus den Händen, Schauspiel oder Teilnahme an Volksspielen verbot sie, und Mägde, die Gespenstergeschichten erzählten, wurden gescholten.
Bischof, Napoleonischer General oder Bankier sollte der Sohn werden, und dafür, für das Studium, verkaufte sie – wie es heißt – ihren Schmuck; da der Student Heinrich Heine aber mit einem ansehnlichen Scheck vom Onkel Salomon ausgestattet war, ist es eher wahrscheinlich, daß Betty Heine damit ihrem bankrottmachenden Ehemann helfen wollte. Sie war es, die das letzte Stückchen Zucker, das »man« nicht nahm, den »Respekt« nannte; und nicht der respektlose Harry, sondern sein Bruder Max war es, der ihn sich doch nahm. »Mama, denk' Dir, er hat den Respekt aufgegessen« – der gehorsame Harry berichtete das atemlos.
Heines Leben ist von zahllosen Legenden umrankt, und ihr Produzent hieß – Heinrich Heine. Weder gibt es Zeugen für die von ihm selber berichtete jugendliche Aufmüpfigkeit, mit der der Schüler die Frage »Wie heißt der Glaube auf französisch« sechsmal hartnäckig beant-

wortet habe: »le crédit«, noch hat er des kranken Vaters wegen seine Italienreise abgebrochen oder um des pflegebedürftigen Vetters Carl Heine willen während der Cholera-Epidemie in Paris ausgeharrt. Während er in Paris eher kärglich lebte, veranlaßte Heine Schilderungen seines üppigen Lebensstils durch Freund Lewald, der die Prahlereien von Mätressen, üppigen Salons mit kostbaren Kaminen und Möbeln und luxuriöser Lebensführung so gut verbreitete wie später Alexander Weill Artikel über Heine unter seinem Namen publizierte, die von Heine selber stammten. Als Joseph Neunzig ihn erstmals auf Elfenbein porträtierte, bat Heine ausdrücklich, ja den satirischen Zug um den Mund nicht zu vergessen.

Es mag mit dieser Lust an – trügerischer – Selbstdarstellung zusammenhängen, daß bis zur Stunde nicht sicher ist, wie Heine überhaupt aussah. Eine Vexier-Anthologie ließe sich zusammenstellen aus den widersprüchlichsten »Zeugenaussagen«. Die Haarfarbe – ganz unabhängig etwa vom Alter – wechselt zwischen lichtbraun, braun, dunkelbraun, blond, »bescheiden«, hellblond, glatt schwarz, dunkelbraun, hochblond, hellbraun, blond, dunkel, blond, kastanienbraun, blond mit weiß durchmischt. Kaum ein Zeitgenosse, der auch nur einigermaßen mit den anderen übereinstimmt. Demnach war Heine – immer im vergleichbaren Lebensabschnitt – sowohl dick wie dünn; blaß wie rosig-gesund; aufrecht gehend und gebückt; schön und unscheinbar – ja häßlich; ein germanischer Apoll und typisch jüdisch; kurzsichtig, von strahlender Blauäugigkeit und mit stechend-schwarzem Semitenblick; glattrasiert und schnurrbärtig; nie eine Brille tragend, ein Brillenfuchs, ein Lorgnon benutzend sowie eine goldene Brille; lockig, glattsträhnig, kurzgeschnitten, mit langem wallendem Haar; von bleichem, abgemagertem Antlitz, das die Spuren frühzeitiger Genüsse zeigte und mit dem wohlig-rosig-rundlichen Gesicht eines Mannes, der kaum Alkohol trank, nicht rauchte und »nie Weiber genossen« hat. Im selben Jahr berichtet derselbe Chronist, er habe Heine nie mit einem Bart gesehen, und das Gesicht sei von einem grauen Bart eingefaßt. Dasselbe wird von Heines nachweislich fünfzehn verschiedenen Pariser Wohnungen fabuliert, von deren üppigem Komfort und ihrer eher bürgerlichen Bescheidenheit, der Unbehaglichkeit eines Hotel garni und den Kaminen, Fauteuils und Samtportieren:

»Man wüßte nichts Besonderes von dieser einfachen Wohnung zu sagen, wenn nicht eine alte pockennarbige Mohrin mit einem buntseidenen Tuche um den Kopf als Magd beim Oeffnen der Thüre erschienen wäre und nicht von Zeit zu Zeit aus dem Zimmer Madame Heine's der gelle Schrei eines Papagei herübertönte.«

Heine war, glaubt man den höchst plastischen Bildern seiner Umgebung, von schlottriger Nachlässigkeit in allen Kleiderfragen und stets nach der neuesten Mode gekleidet, allenfalls mit ziegelroter Mütze bedeckt, während er den eleganten hohen Filzhut mit breiter Krempe, Bolevar genannt, trug; Spitzenjabots, fein gekräuselte Manschetten, spitze Stiefel und schwarze Weste mit hoher weißer Krawatte – und ein kleiner häßlicher Jude mit dunkelgrü-

nem Rock bis auf die Füße, voll lächerlicher Aufdringlichkeit, der wiederum selbst die etwas gewagten drei Silberhäkchen am Samtkragen seines Überrocks gegen die von George Sand bespöttelte Geschmacklosigkeit verteidigte. Einer seiner zuverlässigsten, wenn auch braven Biographen hat sogar festgestellt, daß keines der zeitgenössischen Porträts, Kupferstiche oder ähnliches auch nur annähernd Schlüsse über Heines Äußere zuläßt. Den Heine des »Buchs der Lieder« – wie soll man ihn sich vorstellen?
»Dieser blasse junge Mann, mit dem feingeschnittenen Gesichte, den verschwimmenden Augen, den weichen blonden Haaren, den feinen, in Glacéhandschuhen steckenden Händen, in eleganter schwarzer Kleidung, eine Rose im Knopfloch, eine andere zwischen den spielenden Fingern, der sich so vornehm nachlässig auf dem Canapé wiegt, der statt zu sprechen nur lispelt und über Alles so vornehm ab-lispelt, dieser Metternich en miniature – das wäre mein jugendlich frischer, frivol kecker Liederdichter!«
Tatsächlich mag das für Leben und Werk eines großen Schriftstellers gleichgültig sein – wäre diese Ambivalenz nicht charakteristisch für den Schriftsteller auch. Nicht nur die Auskünfte seiner Zeitgenossen über ihn sind schwankender Boden. Zerrspiegel und Geisterbahn, optische wie sinnliche Verführung, Riese oder Zwerg auf heimlichen Krücken, Leidender oder Spielender: auch Heines »wahrste« Impulse sind Kunst. Ob es das war, was Rahel Varnhagen meinte, wenn sie zögernd und warnend schon vom jungen Heine sagte, hier habe die Natur trotz

so reicher Anlagen in ihrer Hast einige wesentliche Zutaten verabsäumt? Sie schreibt ganz sanft und zugleich ganz bestimmt im März 1829 an ihren Mann:
»Für Heine gibt es nur ein Heil, er muß Wahrheitsboden gewinnen, auf dem innerlich ganz fest gegründet sein, dann mag er sein Talent in der Welt auf die Streife schicken, um Beute zu holen und Mutwillen zu üben; hat er aber jene Burg nicht im Hinterhalt, so wird er bald gar keine Stätte haben, kann seinen Gewinn gar nicht lassen, muß ihn und sich nach Umständen in die Schanze schlagen, wird endlich als gemeiner Ruhestörer auf Steckbriefe eingefangen, und nimmt ein jämmerliches Ende! Warne ihn, wenn er noch hören will.«
Man kennt das Wort seines Freundes und Übersetzers Gérard de Nerval, von dem man sich so leicht erschüttern läßt; Heine habe ihm gestanden, daß er und Nerval an derselben Krankheit litten:
»Wir sangen beide die Hoffnungslosigkeit einer Jugendliebe tot, wir singen noch immer und sie stirbt doch nicht!«
Das, so weiß man, betrifft Amalie, die Cousine, die Tochter des Millionärsonkels Salomon, die Lebensliebe. Oder Lebenslüge?
Es geht hier nicht darum herauszubohren, in welcher Mitte die Wahrheit liegt zum Thema »Heine und die Frauen«, zwischen Grabbes Verdikt etwa, Heines Poesie seien keine Gedichte, sondern »Abwichsereien eines Thee-Titanen«, der eigenen Renommiererei und dem bittersten, deshalb vielleicht aufrichtigsten Fazit am Ende

seines Lebens: »Wirklich geliebt habe ich nur Tote oder Statuen.«

Es geht vielmehr um simple Tatsachen. Als Heines berühmter Seufzer »sie liebt mich nicht« erklang, kannte er Amalie knapp drei Monate. Keineswegs »im wunderschönen Monat Mai« war in seinem »Herzen die Liebe aufgegangen« – Amalie war erst im August 1816 nach Hamburg gekommen. Der Brief an Sethe stammt aus dem November. 18 Monate zuvor hat Heine ihrer Schwester Friederike ins Stammbuch geschrieben:

»Holde Mädchen geben's viele; doch nur eine Rika. So müssen die Engel seyn ... Ach! Laß mich kommen ins Himmelreich, o Herr! Wo solche Engel sind.«

Fast neun Jahre danach ist es die nächste Schwester, Therese – vermutlich die »Evelina« der Widmung des »Buch le Grand«, dessen Motto lautet »Sie war liebenswürdig, und er liebte sie; er aber war nicht liebenswürdig, und sie liebte ihn nicht«. Da war das alles lange her, fast so lange wie diese Erinnerung an seine »Marie A.«, deren spöttische Distanziertheit nicht nach Verklärung klingt, sondern einer Erklärung gleicht:

»Ich bin im Begriff diesen Morgen eine dicke Frau zu besuchen, die ich in 11 Jahren nicht gesehen habe, und der man nachsagt ich sey einst verliebt in sie gewesen. Sie heißt Me. Friedländer aus Königsberg, so zu sagen eine Cousine von mir. Den Gatten ihrer Wahl hab ich schon gestern gesehen, zum Vorgeschmack. Die gute Frau hat sich sehr geeilt und ist gestern just an dem Tage angelangt, wo auch die neue Ausgabe meiner ›jungen Leiden‹ von Hoffman

& Campe ausgegeben worden ist. – Die Welt ist dum und fade und unerquicklich und riecht nach vertrockneten Veilchen.«

Nein, der un-erhörte Zehn-Wochen-Flirt war nicht Heines Lebensmitte noch Lebenswunde. »Ja, wenn die weitklaffende Todeswunde meines Herzens sprechen könnte, so spräche sie: ich lache.« Diese jungen Damen in ihrer schloßartigen Villa an der Elbe waren Kunstfiguren, zierliche Püppchen auf einem Karussell; der Motor, der es antrieb, saß anderswo. Rudolf Walter Leonhardt sieht das in seiner Studie klar:

»Während das rote Sefchen in den ›Memoiren‹ so beschrieben wird, daß man es nach der Beschreibung zeichnen könnte, erstarren die Cousinen zu Klischees von Mädchen mit roten Mündchen, mit Äuglein süß und klar. Es steht zu fürchten, daß sie viel von dem zuweilen arg auf die Geschmacksnerven gehenden Tandaradei der Diminutive im ›Buch der Lieder‹ unschuldig genug zu verantworten haben.«

War es eher das Palais in Hamburg-Ottensen, dem Heinrich Heines Liebe galt? Zweierlei ist über jeden Zweifel erhaben: in jenen Jahren versuchte Heine – der sich dem anglophilen Hamburg zuliebe auch Henry nannte –, koste es was es wolle, Boden unter die Füße zu bekommen. Und wenn er je einen Menschen außer seiner Mutter geliebt hat, dann war es der Mann, der ihm dazu verhelfen konnte: Salomon Heine; zu ihm hatte er die spannungsreichste Beziehung seines Lebens, voll glühender Leidenschaft und mit kaltem Haß, voll Neid, Bewunderung und Verachtung, wie sie nur eingebettet in eine starke Emotion entstehen kann. Über-ich und Über-Vater. Verwandter und Antipode. Die einzigen Tränen, die Heine je wirklich geweint, vergoß er allerdings nicht bei dessen Tode, sondern bei der Nachricht, daß er im Testament nahezu übergangen worden sei:

». . . fiel ich ohnmächtig nieder und Mathilde mußte mir mit Essig die Schläfe reiben und um Hülfe rufen . . .«

Aber der Satz »Dieser Mann spielt eine große Rolle in meiner Lebensgeschichte und soll unvergeßlich geschildert werden« ist so gewiß ehrlich gemeint wie der hochfahrend-wütende Satz »Das Beste, was an Ihnen ist, besteht darin, daß Sie meinen Namen tragen«. Sottisen und spitze Stiche gingen ein Leben lang zwischen Onkel und Neffen hin und her; ob ein genüßliches »Aber, ohne Schmeichelei, Henry, der Platen hat dir gut getrefft« oder ein schnippisches »Lieber Onkel, geben Sie mir 100 000 Mark und vergessen Sie auf ewig Ihren Sie liebenden Neffen Heinrich Heine«. Selbst der Brief des Onkels während eines Parisbesuchs, in dem auch belobigt wird, »Deine Frau hatt sich gut aufgeführt . . . ist ein gutes Schicksche . . .«, liest sich zwar bizarr, aber eher frozzelnd als bösartig:

»An den Mann, der gefunden, daß das Beste was an mir ist, daß ich sein Name führe –

Hamb. den 26. (Dez.) 1843

Heute Mittag den zweite Tag Jontoff, wird gegessen: Krebser Suppe, mit Rosinen theilweise in die Krebsen – Das edle Ochsen Fleisch der Hamburger – Geräuchertes

Fleisch – dabei Karstanien – noch Gemüse – Englischen Buding, mit Feuer – Fasanen, 2 Stück – ein Hase, der wirklich von – meine Leute im Garten geschossen ist. – Salat, Musgadchens, hatt oder – wird schon mehrere aufsetzen, – Champanir, Port wein Mad. wein – und guten Rothwein. Dann wird die hohe Famillie mit ihre Gegenwart das Teater besuchen.«

Gemeinhin hat sich die Heine-Biographienschreibung darauf geeinigt, das Klischee vom armen Dichter zu übernehmen, den der steinreiche Onkel – und der Verleger – haben halb verhungern lassen. Wobei immerhin die Frage erlaubt sein muß, wieso eigentlich ein *Onkel* Zeit seines Lebens »unterhaltspflichtig« ist – noch dazu einem Neffen, der entgegen der selbstfabrizierten Mythe keineswegs mittellos war. Gleichwohl unterstützte Salomon Heine fast sein ganzes Leben hindurch die gesamte Familie seines Bruders, Heines Vaters. Der war ja eher, was man heute einen drop-out nennen würde, damals einen Tunichtgut nannte, dem seine energische Frau beispielsweise den Unterhalt sinnloser und teurer Reitpferde verbieten mußte:

»Samson hatte neben seinem Manchester noch viele andere Passionen: Karten und Schauspielerinnen, Pferde und Hunde und das Soldaten-Spiel. . . .

Samson Heine liebte das Militär: als klingende Wachtparade, als klirrendes Wehrgehenke, als straff anliegende Uniform.«

Wie auch immer – Salomon Heine zahlte, als sein Bruder Samson bankrott machte; zahlte den Umzug und Unterhalt der gesamten Familie; als Samson zusammenbrach, zahlte er seiner Schwägerin, Heines Mutter, 31 Jahre lang eine Witwenpension; zahlte für alle drei Neffen das Studium [Jura, Medizin, Landwirtschaft] – Harry verfügte während seines Studiums über einen recht großzügigen Wechsel von ca. 20 000,– DM jährlich; zahlte, als sowohl Harry wie sein Bruder ihre vom Onkel finanzierten Geschäfte in den Bankrott steuerten.

Vom Standpunkt des reichen *selfmademan* war wohl die skurrile Bemerkung »Wenn der dumme Junge was gelernt hätte, brauchte er nicht zu schreiben Bücher« zu verstehen; Heine quittierte derlei mit höhnischer wie lachender Bestätigung:

»Ich trete bei ihm ein, umarme ihn; er bittet mich Platz zu nehmen, wir plaudern. ›Nun, mein lieber Neffe, du tust immer noch nichts in Paris?‹ – Pardon, lieber Onkel, ich schreibe Bücher. – ›Na also, ich sagte es ja: Du tust immer noch nichts.‹

Bei diesen Worten lachte Heine aus vollem Halse. ›Das Komischste dabei ist: mein Onkel hat recht‹, fuhr er fort. ›Hol mich der Teufel, wenn man heute wieder eine Ilias schriebe, täte man in der Tat nichts. Man wäre ein blöder Tor.‹«

Vom Standpunkt des Künstlers wiederum, der – zu Recht – annahm, des Namens Heine werden Generationen sich dereinst jedenfalls nicht des Bankiers Salomon wegen erinnern, waren es eher klägliche Wechsel. Heine verdiente viel Geld – aber er verbrauchte mehr. Nicht erst in Paris, wo der Champagner floß, Mathilde nur in die teuersten

Restaurants geführt wurde und ein Kleid den »Lohn« eines Poems kostete.
Trotzdem nannte er seinen Onkel einen bedeutenden Menschen,
» . . . der bey großen Gebrechen auch die grösten Vorzüge hat. Wir leben zwar in beständigen Differenzen, aber ich liebe ihn außerordentlich, fast mehr als ich selbst weiß. Wir haben auch in Wesen und Charakter viel Aehnlichkeit. Dieselbe störrige Keckheit, bodenlose Gemüthsweichheit und unberechenbare Verrücktheit – nur daß Fortuna ihn zum Millionär, und mich zum Gegenteil, d. h. zum Dichter gemacht, und uns dadurch äußerlich in Gesinnung und Lebensweise höchst verschieden ausgebildet hat.«
Es war sicherlich keine »Zensur«, die ihn eine sogar milde Bosheit gegen den »Griesgram« im »Wintermärchen« von der handschriftlichen zur Druckfassung mildern ließ. Die Disproportion zwischen dem Riesenvermögen und den gelegentlichen Dotationen des Onkels allerdings ist in der Tat beträchtlich; er stiftete zwar für allerlei Taubstummen-, Blinden- und Krankenanstalten, richtete gar das Hamburger Israelitische Krankenhaus ein (was Heine in einem schwachen Dankbarkeitspoem vermerkte) –, aber die damit verglichen immer noch gigantischen Beträge des Vermächtnisses von insgesamt 30 Millionen Mark – je 900 000 Taler für jeden Haupterben, aber 1 000 Taler für eine Blindenanstalt – lassen an jene »bürgerliche Wohltätigkeit« denken, die wir aus einem anderen Gedicht kennen:

»Sieh! Da steht das Erholungsheim
einer Aktiengesellschafts-Gruppe;
morgens gibt es Haferschleim
und abends Gerstensuppe.
Und die Arbeiter dürfen auch in den Park ...
Gut. Das ist der Pfennig.
Aber wo ist die Mark –?«

Doch für den mittellosen jungen Poeten hatte all das ja noch eine andere Verlockung. Nicht nur ging es um Pferd und Wagen, Bälle, »Champanir«, Villa und Stadtpalais. Das betrachtete Heine ganz offensichtlich mit abwesender, gar abweisender Ironie.
Die andere Verlockung: dies war eine, nein: die erfolgreichste, mächtigste Form der Emanzipation. *Hier* lag das Faszinosum. Wir haben gesagt – Amalia hin, Therese her –, daß Heinrich Heine Boden, *gesellschaftlichen* Boden unter die Füße bekommen wollte, um jeden Preis. Er war begabt, er war jung, er wollte seinen Platz auf dieser Welt. Aber er war Jude. Selbst in Hamburg – das noch besser dastand als Frankfurt – wurde der Kampf gegen die Gleichberechtigung der Juden erbarmungslos geführt. Zwar war Hamburg durch Napoleonisches Dekret vom 10. Dezember 1810 in das französische Kaiserreich »eingemeindet«. Die Hamburger Juden erhielten, wie es für ihre französischen Glaubensgenossen selbstverständlich war, die volle bürgerliche und politische Gleichberechtigung (womit übrigens ihre eigene Gesetzgebung für Familien- und Erbrecht erlosch). Aber kaum war Napo-

leon gestürzt, war es auch mit diesen Freiheiten zu Ende. Noch im Archivexemplar einer Dissertation, in der die Verbitterung der jüdischen Bevölkerung angesichts ihrer Beteiligung an den Freiheitskriegen und ihrer Benachteiligung danach referiert wird, hat sich ein Anonymus unserer Tage mit einem Bleistift-Fragezeichen verewigt. Aber man muß nicht in die ferne Gegenwart schweifen. Im Jahre 1835 führte eine Denkschrift des Redaktionsmitglieds Rießer der Hamburger Börsenhalle, in der bescheiden die Zulassung der Juden zum Handwerk und zur Advokatur erbeten wurde, zu Exzessen. Der Kaffeewirt der »Alsterhalle« erhöhte den Preis seines Kaffees für jüdische Gäste um das 15fache und ließ sie schließlich durch sein Personal aus dem Restaurant werfen. Es kam zu einem Pogrom, zu Plünderungen und Verhaftungen (der Juden!). Beschlußfassungen über eine etwaige Verbesserung der jüdischen Bürgerrechte vertagte der Senat. Das Palais eines stadtbekannten Wohltäters wurde übrigens verschont; wer hat darin gewohnt?

Weitaus schlimmer sah es etwa in Frankfurt aus. Anfang des Jahrhunderts waren die Juden in ein baumloses Ghetto eingesperrt, sie durften sich auf keinem Wall, in keiner Grünanlage sehen lassen. Sonntags ab 16.00 Uhr wurde das Ghetto zugesperrt, und das Tor durfte nur passieren, wer nachweislich zur Post oder zur Apotheke mußte. Genau 24 Juden durften pro Jahr heiraten. Auch hier brachte das Jahr 1810 eine Änderung – für den Betrag von 450 000,– Gulden war der Fürstprimas von Daibers zu einem Vertrag bereit, der das volle Bürgerrecht gewährte. Kaum war die Stadt durch die Verbündeten befreit, entzog man die teuer erkauften Rechte (und behielt das Geld).

Eine 1815 eingereichte Rechtsklage an den neu eingesetzten Bundestag brachte nach 9jähriger Verhandlung einen Teilerfolg. Noch 1831 konnte Ludwig Börne spotten:

»Merkwürdige Dinge sollen ja in Frankfurt wegen der Juden vorgehen. Ist es wahr, daß die Wittwer und Wittwen sollen heirathen dürfen, so oft und sobald sie Lust haben? Ist es wahr, daß Juden und Christen sollen Ehen unter einander schließen dürfen, ohne weitere Ceremonien? Ist es wahr, daß der Senat dem gesetzgebenden Körper den Vorschlag gemacht, die Juden den christlichen Bürgern ganz gleich zu stellen, und daß von 90 Mitgliedern nur 60 dagegen gestimmt? Das wäre ja für unsere Zeit eine ganz unvergleichliche Staats-Corporation, die unter 90 Mitgliedern nur 60 Dumme zählte. Ein ganzes Drittheil des gesetzgebenden Körpers hat dem Geiste der Zeit unterlegen; das ist ja ärger als die Cholera morbus – werden die alten Staatsmänner jammern!«

Diese Philippika hat ihre nahezu wörtliche Entsprechung im »Atta Troll«:

»Ja, sogar die Juden sollen
Volles Bürgerrecht genießen
Und gesetzlich gleichgestellt sein
Allen andern Säugetieren.«

Und Berlin, das freie, große Berlin, Treffpunkt liberaler Geister?

Weder frei, noch groß, noch liberal. Der Geschichtsprofessor Ruess forderte die berüchtigte »Volksschleife«, publizierte eine antisemitische Schrift »Über die Ansprüche der Juden an das deutsche Bürgerrecht« und amüsierte sich, wenn in Stücken wie »Die Judenschule« oder »Unser Verkehr« jüdische Bürger verhöhnt wurden.

Heines eher widerwilliges Jurastudium bot gegen derlei letztlich keinen Schutz – irgendein Staatsdienst, eine Professur, ein höheres Amt blieben ihm verschlossen. Selbst der Bruder Gustav fand keine Stellung in der Landwirtschaft; die Ursache lag »in dem Umstande, daß er beschnitten sey«.

Im selben Jahr, in dem Heine mit diesem Brief sich für seinen Bruder verwendet, taucht erstmals ein anderer Gedanke auf, wenn nicht Sicherheit, so doch wenigstens Chancengleichheit zu erringen:

»Wie Du denken kannst – kommt hier die Taufe zur Sprache. Keiner von meiner Familie ist dagegen, außer ich. Und dieser ich ist sehr eigensinniger Natur. Aus meiner Denkungsart kannst Du es Dir wohl abstrahiren daß mir die Taufe ein gleichgültiger Akt ist, daß ich ihn auch symbolisch nicht wichtig achte, und daß er in den Verhältnissen und auf der Weise wie er bey mir vollzogen werden würde, auch für Andere keine Bedeutung hätte. Für mich hätte er vielleicht die Bedeutung daß ich mich der Verfechtung der Rechte meiner unglücklichen Stammsgenossen mehr weihen würde. Aber dennoch halte ich es unter meiner Würde und meine Ehre befleckend wenn ich, um ein Amt in Preußen anzunehmen, mich taufen ließe.

Im lieben Preußen!!! Ich weiß wirklich nicht wie ich mich in meiner schlechten Lage helfen soll. Ich werde noch aus Aerger katholisch und hänge mich auf.«

Es ist exakt dieselbe Zeit, zu der »der Herr Heinrich Hayne aus Düsseldorf«, wie ein Protokoll es vermerkt, ordentliches Mitglied des »Vereins für Cultur und Wissenschaft der Juden« in Berlin wird; später wird er sogar Geschäftsführer. Gewiß bleibt die Tätigkeit in diesem Verein eine Episode in Heines Leben – keine Eskapade jedoch, zu der sie so oft stilisiert wird. Sie muß vollständig im Zusammenhang gesehen werden mit den Bemühungen Heines zu dieser Zeit, eine Möglichkeit zu finden, sich zu verwirklichen. Die Berichte über Heines Vorträge, in denen er glühenden Auges und mit großem poetischen Schwung über die Siege Hermanns des Cheruskers oder Arminius' des Deutschen oder die Niederlage der Römer im Teutoburger Walde referierte, sind Teil der Heine-Legende.

Doch ist das gar kein Anlaß zu anekdoten-sattem Geschmunzel. Es zeigt vielmehr etwas ganz anderes: Heine versuchte mit aller Macht, sich ein gesellschaftliches Koordinatensystem zu konstruieren. So wenig es in Wahrheit um die gewiß recht niedlichen Cousinen ging, so wenig ging es auch hier um die Pflege irgendeines spezifisch-jüdischen Kulturerbes. Bezeichnenderweise hat Heine für die Zeitschrift des Vereins – die viel präziser »jüdisch« artikuliert war – keine Zeile geschrieben. Selbst der Präsident, Heines Professor Eduard Gans, trat schließlich zum Christentum über; von seinem Engage-

ment für den gereichten Imbiß war schon zuvor in den Berichten mehr die Rede als von dem für die Belange der Juden – man erzählte sich gerne,
» . . . daß er während der eifrigsten Diskussion und trotz seiner großen Zerstreutheit dennoch, nach dem Teller der Butterbröde hinlangend, immer diejenige Butterbröde ergreife, welche nicht mit gewöhnlichem Käse, sondern mit frischem Lachs bedeckt waren.«
Heines Beziehung zum jüdischen Glauben war stets so ambivalent wie die zur christlichen Religiosität. Das innerste Zentrum des Begriffs – religio heißt Bindung – war keine Heinesche Kategorie. Heine war in allem, ob Erotik oder Moral oder Kunst, von Politik zu schweigen, ein Egomane, sein eigenes Sonnensystem. Wenn er Verankerungen suchte, dann, um Kraftfelder auf sich zuzuordnen. So amüsant sich auf den ersten Blick die Kindheitsanekdote anhört, in der berichtet wird, daß der »Rote Harry« – diesmal hat er rote Haare – beim Schabbes ablehnt, Löscheimer zu tragen oder Weintrauben mit dem Munde pflückt, das Entsetzen seiner Spielkameraden mit einem »mit der Hand abreißen darf ich nichts, aber zu essen hat uns das Gesetz nicht verwehrt« fortlachend –; so typisch ist sie doch auch: dieser Fuchs holt sich seine Trauben – und kein Gesetz gilt, das nicht er sich macht. Nicht, daß sein pathetisches Akzeptieren des Psalms »Verwelke meine Rechte wenn ich deiner vergesse, Jeruscholayim« lügenhaft gewesen wäre; aber er war kein alttestamentarischer Jude. Ihm grauste gar vor der Unbarmherzigkeit und Grausamkeit des Alten Testaments,

die er »Menschenmäkeley« nannte. Ein aufschlußreicher Brief an den Freund Moses Moser definiert exakt diese Haltung: für die Rechte der Juden Ja, für die Religion der Juden Nein:

»Ich habe ihnen doch schon den Wahn benommen daß ich ein Enthousiast für die jüdische Religion sey. Daß ich für die Rechte der Juden und ihre bürgerliche Gleichstellung enthousiastisch sein werde das gestehe ich, und in schlimmen Zeiten, die unausbleiblich sind, wird der germanische Pöbel meine Stimme hören daß es in deutschen Bierstuben und Palästen wiederschallt. Doch der geborene Feind aller positiven Religionen wird nie für diejenige Religion sich zum Champion aufwerfen, die zuerst jene Menschenmäkeley aufgebracht, die uns jetzt so viel Schmerzen verursacht; geschieht es auf eine Weise dennoch, so hat es seine besondere Gründe, Gemüthsweichheit, Starrsinn und Vorsicht für Erhaltung eines Gegengifts.«

Deshalb war die Feste Ottensen, der Elbsitz des reichen Onkels, zerniert worden. *Deshalb* hatte er sich einem jüdischen Bildungsverein angeschlossen. Und *deshalb* hat Harry Heine sich taufen lassen. Ein reicher Heine wäre kein treifer Heine – Heine ist nicht Marx. Heine ist nicht getauft worden. »Ich habe mich getauft«, heißt es bei ihm. Er hat es ungern getan, voller Scham und mit dem Achselzucken, mit dem man sich gegen Pocken impfen läßt oder einen Paß abholt. Es war ein Paß, nichts anderes. Der Onkel hatte einen anderen Paß – einen besseren, gültigeren, internationalen: das Scheckbuch. Er hatte sich nicht taufen lassen müssen, damit christliche Bürger *sein* Haus vor dem Pogrom bewahrten. Und es ist kein Zufall, daß ein Name stetes Witz- und Reizwort im Gespräch zwischen Onkel und Neffen ist: der Graf von Platen, der den Henry Heine »gut getrefft« hatte. In der Schilderung vom eher langweiligen Diner in der Bankiersvilla, die wir der Therese Devrient verdanken, taucht er wieder auf:

»Da rief der Onkel (von dem man wußte, daß er den Neffen großmütig unterstützte): ›Ei, Heinrich, du brauchst doch nicht zu klagen. Wenn dir's an Geld fehlt, gehst du zu einigen guten Freunden ins Haus, drohst ihnen: Ich mache euch in meinem nächsten Buche so lächerlich, daß kein ordentlicher Mensch mehr mit euch umgehen kann, oder du blamierst einen Edelmann! Du hast ja Mittel genug in Händen.‹

Der Dichter kniff die Augen zu und erwiderte scharf: ›Er [Graf Platen] hatte mich angegriffen mit Knoblauchessen und den alten Ammenmärchen; ich mußte ihn vernichten‹ . . .«

Das und nichts anderes ist der Grund für das erbarmungslose Gemetzel zwischen Heine und Platen. Für den Millionär Salomon Heine konnte das alles nur ein Scherz sein; für den Famillionär Heinrich Heine war es Schmerz; bei ihm nämlich geht es um die Existenz.

Man schreibt das Jahr 1828. Heinrich Heine ist jetzt ca. 30 Jahre alt. Er ist berühmt, aber auch sehr angegriffen. Vom großen Erfolg kann keine Rede sein. Ein von ihm selber in Gang gesetztes Kartell lobender Besprechungen hat nicht so gut funktioniert. Es erscheinen mindestens so viele

»Verrisse« wie positive Kritiken. Vor allem kursieren viel belachte Parodien in allen möglichen Zeitschriften und Almanachen, die die Eitelkeit Heines mit Sicherheit gekränkt haben – wie etwa diese aus der Feder Wilhelm Neumanns, des Freundes von Chamisso und Varnhagen:

»Den Gärtner nährt sein Spaten,
Den Bettler sein lahmes Bein,
Den Wechsler seine Dukaten,
Mich meine Liebespein.

Drum bin ich dir sehr verbunden,
Mein Kind, für dein treulos Herz;
Viel Gold hab' ich gefunden
Und Ruhm im Liebesschmerz.

Nun sing' ich bei nächt'ger Lampe
Den Jammer, der mich traf;
Er kommt bei Hoffmann und Campe
Heraus in Klein-Oktav.«

Heinrich Heine hatte keinen Beruf. Er hatte alles Ordentliche versucht. Jetzt sitzt er in München, mit dem hochvermögenden Onkel inzwischen zerstritten, an den er aber noch in diesem Jahr einen Versöhnungsbrief entwirft. Er verhandelt mit dem reichen Verleger-Baron Cotta, von dem er zu schwärmen beginnt – das heißt von sich: »Cotta hält viel auf mich«; »Cotta behandelt mich sehr genereuse«; »Ich bin eine von Cottas teuersten

Puppen«. Er hält das erste Stückchen einer greifbaren Existenz in Händen, Cotta engagiert ihn als Redakteur der *Neuen allgemeinen politischen Annalen.* Und er späht auch bereits nach der Taube auf dem Dache, seine Königstreue beteuernd: seit April bemüht er sich durch von Schenks Vermittlung um eine Professur in München. Endlich, am 28. Juli, ist es soweit – Schenk beantragt beim bayerischen König Heines Anstellung als außerordentlicher Professor. Fünf Tage später fährt der Blitz hernieder. Heine erfährt durch Kolb von Platens Absicht, ihn im »Romantischen Ödipus« anzugreifen. Von »Knoblauchgeruch« und »Synagogenstolz« wird in dem läppischen Stück die Rede sein. Vier Wochen nach dieser Nachricht, am 3. September 1828, trifft Heine in Lucca ein, das dem unseligen Streit seinen Namen geben soll. Die Italienreise stand vollständig unter dem Rubrum »Was wird aus mir«. Heine macht sich die größten Hoffnungen auf eine bürgerliche Existenz in München, schreibt am 6. September aus den Bagni di Lucca an Moses Moser, »in München habe ich ein köstliches Leben geführt und werde mit Freuden dorthin zurückkehren«, schreibt am 1. Oktober nahezu verzweifelt, zumindest flehentlich, daß er in Italien von poste restante zu poste restante geeilt sei, aber keine Nachricht von Schenk erhalten habe und er dringlichst auf Neuigkeiten über das »decret royale« warte. Und die Platensche Zeitbombe tickt. An ihr bastelt der Mann, den er bislang allenfalls geneckt hat, dem er noch im Mai desselben Jahres bescheinigt hat, »ein wahrer Dichter« zu sein und der – horribile dictu – weit erfolgreicher ist: »Sehe ich was Cotta für die Gedichte von Uhland und Platen tut, oder besser gesagt für die Dichter selbst, so muß ich mich vor mir selber schämen«, schreibt Heine im Frühjahr an Friedrich Merckel. Im November zerschlägt sich die Professur, im Dezember ist Heine nicht mehr Redakteur. Im Februar erscheint Platens »Aristophanische Komödie«. Heinrich Heine ist wieder Harry Heine aus der Bolkerstraße in Düsseldorf. Der Protestant, Dr. jur. und Autor des »Buchs der Lieder«, Fast-Professor und Ex-Redakteur beim mächtigen Cotta, hatte nicht dem geneckten Grafen den Lorbeer abgeweidet, wie er es Freund Immermann geschworen. Und es ging um Handfestes, nicht um den Lorbeer an der Stirn, sondern um die Lorbeeren in der Suppe. Der König von Bayern trug sich nämlich mit der Absicht, irgendeinem deutschen Dichter ein Jahresgehalt auszusetzen, ohne jegliches Amt, nur als literarische Coronation und Apanage. Heine war wieder »Außenseiter«. Er war »getrefft«. Er hörte das hechelnde »hepp, hepp«, dem er hatte entrinnen wollen mit aller Kraft seines jungen Lebens.

Deshalb »Exekution«, deshalb »Coute que coute«, »Vernichtungskrieg« und »Krieg des Menschen gegen den Menschen«; um Kunst, um Literatur ging es nicht:

»Der Schiller-Göthesche Xenienkampf war doch nur ein Kartoffelkrieg, es war die Kunstperiode, es galt den Schein des Lebens, die Kunst, nicht das Leben selbst – jetzt gilt es die höchsten Interessen des Lebens selbst . . .« Nichts da von Empörung über «Pedrasie« und »Greul, die ich nicht dem Papier zu vertrauen wage« – Heine war kein Spießer und hatte auf der Drehbahn »Pique-As-Luise«, »Dragoner-Kathrine« und »Strohpuppen-Jette« wohl nicht nur besungen. Kein alttestamentarisch lohender Zorn und Greuel über solche, die einem Knaben beiliegen wie dem Weybe. Kalte Rache. Homosexualität als solche interessierte Heine überhaupt nicht, das Thema kommt in Werk und Briefen ansonsten nicht vor. Und der »Bund von Pfäffchen, Baronen und Pedrasten ... dienende Brüder, Mittelglieder in dem großen Bunde der Ultramontaner und Aristokraten« war, was Heine wohl wußte, zumindest im Falle des verarmten und gänzlich einflußlosen Grafen von Platen-Hallermünde reines Hirngespinst; oder Schutzbehauptung. Gewiß hatte Platen überzogen, ja ungezogen reagiert auf die von Heine publizierten Spöttereien Immermanns, »meines hohen Mitstrebenden«. Obwohl die inkriminierten Zeilen

»Von den Früchten, die sie aus dem Gartenhain
von Schiras stehlen,
Essen sie zuviel, die Armen,
und vomieren dann Ghaselen«

gar nicht nur gegen Platen, den letzten Vertreter der »Kunstperiode« gerichtet waren, sondern ebenso gewiß gegen dessen Haupt, den Herrn Geheimbderat in Weimar – der den jungen Heine so schnöde empfangen hatte, daß dieser auf die graziöse Frage »Womit beschäftigen Sie sich jetzt« spitz antwortete »Mit einem ›Faust‹«. Goethes marmorkühle Verabschiedung »Haben Sie weiter keine

Geschäfte in Weimar, Herr Heine?« blieb unvergessen – und von dem Besuch blieb in Goethes Tagebuch nur der Eintrag »Heine von Göttingen«.
Von Platen nun sollte unbedingt weniger bleiben. »Petrarca des Laubhüttenfestes« – eigentlich hätte Heine lachen können. So, wie es Salomon Heine konnte oder der schließlich genauso angegriffene Immermann, der mit ein paar Literatursottisen antwortete. Doch der eine hatte seinen gültigen Paß, der andere, unverdächtiger Protestant und preußischer Staatsbeamter in Magdeburg, kannte diese »feuchte Stelle« nicht, wußte von keinem heimlichen Makel und dessen existenzgefährdender Kraft.
Hans Mayer hat in seiner Studie zu diesem Streit auf die befremdliche Potenzprotzerei Heines hingewiesen, einen »Männlichkeitswahn«, der zu unserer früher gestellten Frage zurückführt, wieweit der unendliche Damenflor Heines nicht ein Phantasieschleier war. Gewiß, dieser kritische Waffengang kann nicht geistesgeschichtlich erklärt werden, nicht mit unterschiedlichen Konzepten der aristophanischen Satire, aber auch nicht mit eigenen Worten Heines, mit denen er seine Position verharmlost.
Daß es sich um mehr gehandelt hatte, daß die Denunziation des homophilen Grafen einem Mordanschlag gleichkam, wußte Heine sehr wohl. Er hat es in späteren Jahren wieder und wieder betont, daß – was immer gegen die Gedichte zu sagen sei – »er solche Angriffe verdiente, wie ich sie ihm zukommen ließ. Ich wollte, ich hätte die Kapitel aus den Bädern von Lucca nie in die Welt hinausgesendet!« Da Heine so tief schlug, muß noch eine

andere, tiefere Schicht auch in ihm getroffen worden sein. Nur einmal noch in seinem an Literatur-Duellen reichen Leben blitzt ähnliches auf: im Streit gegen Börne.
»Faust« hatte er dem Gastgeber in Weimar geantwortet, dessen Faust II noch nicht erschienen war. Keineswegs ist das, wie immer Goethe es auffaßte, verletzend gemeint gewesen; zu dem Zeitpunkt verehrte Heine Goethe ja, 1821 hatte er in einer langen Widmung des ersten Gedichtbandes geschrieben »ich liebe Sie« und sich verabschiedet mit »ich küsse die heilige Hand«. 1823 hatte er die »Tragödien« als »ein Zeichen seiner tiefsten Verehrung« nach Weimar geschickt, und selbst 1826 nach dem unglücklichen Besuch – um den er »nur Ihre Hand zu küssen« gebeten hatte – nannte die Widmung den I. Teil der »Reisebilder« noch » . . . ein Zeichen der höchsten Verehrung und Liebe«. Die innere Entfernung, gar Verachtung des »Aristokratenknechts« kommt erst Jahre später, wird Gegenstand mancher Debatte mit Rahel Varnhagen, die die Veröffentlichung der »Memoiren des Herren von Schnabelewopski« wegen des Anti-Goethe-Pasquills verhindert. Das Buch wird 1827/28 geschrieben. Am 22. März 1832 stirbt Goethe. Am 18. Juni 1833 bietet Heine den »Schnabelewopski« seinem Verleger Campe an, bei dem das Buch Anfang 1834 erscheint.
Nein – »Faust« war ernst gemeint; nicht etwa nur als literarischer Plan, der später verwirklicht wurde. Faust: das war Definition des eigenen Existenzbegriffs. Hier schließt sich ein Kreis. Der gleichberechtigte Zwillingsbruder Fausts, im Verständnis der Romantiker, hieß

nämlich – Don Juan. Der Sinnen-Gargantua als Spiegelbild des Verstandes-Giganten. Der Mann, der von Genuß zu Genuß taumelt, der Gräfinnen, Bürgertöchter oder Tanzbodenmädchen in einem Reigen von Laster und Begehrlichkeit besaß. Das Weib als Gegenstand, auch der ständigen großen Enttäuschung – ein literarisches Sujet. Es war eine Rolle – und Heine spielte sie, wie alle seine Rollen, so perfekt, daß er als Musterbeispiel des Roué galt. Er prahlte mit Lastern, die er gar nicht lebte, und er beschrieb Verzweiflungen und Abstürze aus den Höhen intensiver Liebeswonnen, die er nie genossen hatte. Von Amalie bis zur Mouche – es war immer vorgestellte, gewünschte Intensität.
Gelegentlich scheint ihm die Angeberei selber zu weit gegangen zu sein, wenn er etwa den Bericht der Hamburger Schutzpatronin Hammonia, der er auf dem Strich begegnet, auf Anraten Campes aus dem »Wintermärchen«-Gedicht eliminiert:

»Du suchst vergebens! Du findest nicht mehr
Die lange Mahle, die dicke
Posaunen-Engel-Hannchen, du findest auch nicht
Die Braunschweiger Mummen-Friederike.

Du suchst vergebens! Du findest nicht mehr
Den Schimmel, die falsche Marianne,
Pique-As-Luise, die rote Sophie
Auch nicht die keusche Susanne.

Du findest die Strohpuppen-Jette nicht mehr,
Nicht mehr die große Malwine,
Auch nicht die Kuddelmuddel-Marie,
Auch nicht die Dragoner-Kathrine.«

Dabei ist es sogar gleichgültig, ob hier reales Verkehrschaos beschrieben wird oder eine Umleitung. Es ist genauso gleichgültig, wo nun tatsächlich Heine sich seine Syphilis geholt hat, an der er schließlich elend zugrundeging. Es gibt eine sehr komische Briefstelle aus Heines Studentenzeit, auf die bei deutsch-ernsthafter Erörterung dieses Themas immer wieder hingewiesen wird:
»Ich bin nicht mehr Monotheist in der Liebe, sondern wie ich mich zum Doppelbier hinneige, so neige ich mich auch zu einer Doppelliebe. Ich liebe die Medizäische Venus, die hier auf der Bibliothek steht, und die schöne Köchinn des Hofrath Bauer. Ach! und bei beyden liebe ich unglücklich! Die eine ist von Gyps und die andre ist venerisch. Oder ist letzteres etwa Verläumdung? Je le trouverai. Ich habe mir gestern Abend bey der neuen Putzhändlerinn 1/2 dutzend Gondons anmessen lassen, und zwar von veilchenblauer Seide.«
Heines venerische Infektion nun dieser Hofratsköchin zuzuschreiben, dazu gehört schon ein unzulässiges Maß an Naivität und literarischer Blauäugigkeit. Nicht nur pflegt ja ein Condom üblicherweise gerade gewisse Gefahren zu verhindern. Eine solche simple Deutung übersieht, daß es sich auch hier um schiere Selbstironie und Persiflage handelt; allein die Anspielung auf das von

Heine bestgehaßte »Lied der Brautjungfern« aus Carl Maria von Webers »Freischütz« ist Indiz genug. »Wir winden Dir den Jungfernkranz mit veilchenblauer Seide« – das gellte und trällerte und zwitscherte zu Heines Berliner Zeit vom Halleschen zum Oranienburger Tor und vom Brandenburger zum Königstor tagaus, tagein; Heine hat das in den »Briefen aus Berlin« in seiner Ohrenqual sehr witzig geschildert und »Hilf, Samiel« gerufen. So brävlich sollte man also literarische Texte nicht adaptieren. Heinesche schon gar nicht.

Anders vielmehr. Ob nun die schöne Köchin oder irgendeine Dragoner-Kathrin: Heine stilisierte sich zum von Damen, Weibern und Mädchen umtanzten Dionysier. Aber eines hat er nicht erlebt – die tragende, starke Liebe. Wie die gesellschaftliche, so versagte auch die emotionale Zuordnung. Als einer der wenigen seiner Biographen hat Max J. Wolff deutlich darauf hingewiesen: »Er hat, wie alle jungen Leute, Schönheiten gekannt, die man nicht unter den Linden grüßt, aber aus seinem ganzen Leben ist nicht eine große Leidenschaft bekannt, nicht eine von den ›kolossalen Amouren‹ oder diabolischen Verführungskünsten, die man ihm nachsagte und die er sich gern nachsagen ließ. Der interessante Wüstling ist ein literarischer Typus, den die Dichter jener Zeit durchweg mit mehr oder weniger Glück verkörperten. Byron spielte die Rolle meisterhaft, und wenn er gewiß auch kein moralisch einwandfreies Leben führte, so ist doch schon bei ihm der Nimbus ungeheuerster Lasterhaftigkeit Mache und Reklame. ›Unsere kleinen Byrons‹, wie sie

Chamisso spöttisch nannte, durften hinter dem Meister nicht zurückstehen und spielten, jeder in seiner Art, die Rolle des gewissenlosen Roué, Musset und Lermontoff so gut wie Heine.«

Inszenierung haben wir gesagt. Artist.

Tatsächlich ist mit dem Namen Byron ein weiteres Indiz angedeutet. Lord Byron wurde von den Frauen seiner Zeit angebetet, die ersten deutschen Übersetzungen erschienen aus der Feder Ottilie von Goethes, Karoline Pichlers und der Elise von Hohenhausen, die Heine wohl schon 1819 in Hamburg kennengelernt hatte. Auch Heine übersetzte Gedichte des englischen Vorbilds – das eben war Byron für ihn, genauer gesagt: die Legende Byron; weit mehr als literarische Begegnung. Man bedenke nur das Vokabular, in dem er stets von Byron sprach: »Spießgeselle«, »Verwandter«, »Vetter«. Also eine Existenzaneignung. Byron war der Werther der Heine-Generation. Man brachte sich nicht mehr um, man wurde allenfalls umgebracht; man war aber Einzelwesen, zu groß und edel für diese Welt, die nicht begriff, und an der man sich rächte. Die Gesellschaft verkannte und stieß aus – und man verachtete. Man war der blasierte Lebemann, der mit den Frauen spielte; denn wie die Welt zu klein war für diesen einzelnen, so war die eine Frau zu engstirnig gewesen. *Sie* hatte sich versündigt in einem refus. Nun taumelte man von Liebesabenteuer zu Liebeskummer, von Hohn zu Verzweiflung. Die Geburt der Poesie aus dem Geiste des déjà vu. Faust und Don Juan in einem.

Heines Byron-Verehrung ging so weit, daß er ihn bis in

typische Äußerlichkeiten nachahmte. Die Haartracht, das nervöse Zucken der Oberlippe als Zeichen von Schmerz, Einsamkeit und lässiger Verachtung. Im Grunde war Heine nach allen Erinnerungen seiner Zeitgenossen im Umgang mit Frauen eher scheu, errötete leicht und sprach kaum; wie er auch in Gesellschaft meist einsilbig und schüchtern war. Gegen Ende seines Lebens, der Maskenball war ausgetanzt und keine Larve mehr nötig, gab er das selber zu:

»›Glauben Sie mir, ich habe moralischer gelebt, als die meisten der Menschen, die mich der Unmoralität zeihen. Nie, im ganzen Leben, nie, habe ich eine Unschuld verführt oder eine Ehefrau zur Untreue verleitet. Ist das nicht sehr merkwürdig? Können viele Menschen dasselbe auch von sich behaupten? Wird es mir jemand glauben? Es ist doch so.‹ . . .

›Ich habe mir am Abend meines Lebens keine Vorwürfe zu machen. Ich habe nie ein Mädchen verführt und nie eines verlassen. Ich bin nie der erste Liebhaber und nie der letzte gewesen.‹«

Das klingt nicht nur wesentlich bescheidener, sondern auch glaubhafter als die Titanen-Allüre des edlen Lords, die Heine als eigene Geste übernahm. Auch das Ideal der Immoralität und des Strebens nach Macht, vor der möglichst Kabinette zitterten, war Inszenierung. »Ein Fetzen von Byron« nannte ihn der bösartige Grabbe. Es bot sich alles so an – ein Ausgestoßener, Paria gar; ein Zurückgewiesener, der sich am Dreckwall trösten mußte; einer, der Mißachtung seiner Existenz Hochmut entgegensetzte. Die Bewunderer Werthers brachten sich um. Der Verehrer Byrons brachte Platen um. Das literarische Stilett als Konsequenz existentieller Stilisierung. Vom Penisneid zur Kastration.

Denn Heines schönste Verse spiegeln keine Wirklichkeit. Die Genialität dieses Dichters erweist sich gerade darin. Nicht »mein Leben ist Roman«, sondern: »Roman statt Leben«. Generationen haben die Süße der Verse vom Blatt geschmeckt:

> »Es waren zwei Königskinder,
> Die hatten einander so lieb,
> Sie konnten beisammen nicht kommen,
> Das Wasser war viel zu tief.«

Doch es gab keine zwei Königskinder, und sie hatten einander nie lieb. Zutiefst unter allem, was Heinrich Heine dachte, fühlte und schrieb, lag das Grundgefühl: Angst. Höchste artistische Ziselierung, vom Kunstbau der empfindsamen Schnecke bis zu den Verliesen des Franz Kafka, ist immer Angst. Je weicher und verletzlicher ein Mensch, desto verschnörkelter seine Abwehrmechanismen. Siegfrieds haben eine »Stelle« immer nur aus Versehen; sonst schlichtes Horn. Formalisieren heißt stets: Welt abwehren. Die erfundene eigene Welt wird der feindlichen fremden entgegengesetzt. Kunst ist nie Widerspiegelung des Realen, sondern real in sich.

Heinrich Heines einzige große Liebe war – seine Mutter. Er hat sie einmal nachmodelliert – das war dann Mathilde.

War die Liebe zu seiner Frau nur die Liebe zu einer Idee von Liebe? Eine Flucht? Oder ein Fluch? Kurz nach der ersten Begegnung in jenem Schuhgeschäft jedenfalls floh Heine aufs Land, auf das Schloß seiner Freundin, der schönen Prinzessin Belgiojoso in Gonchère bei Saint-Germain. Er klagt, dazu verdammt zu sein, »nur das niedrigste und thörichste zu lieben . . . Begreifen Sie wie das einen Menschen quälen muß, der sehr stolz und sehr geistreich ist?«

Das stammt aus dem Herbst 1835, aber schon im Sommer schreibt er vom wahren Abscheu »vor allem, was gemein und müffig ist, vor allem Unklaren und Unedlen«.

Seltsame Worte einer großen Liebe. Vielleicht eher einer Verfallenheit? Das Porträt Mathildes, das sich aus zahllosen aufgezeichneten Bemerkungen Heines, seinen Briefen und Berichten von Besuchern zusammenfügt, ist gar nicht widersprüchlich. Ein einfaches, dickliches, aber nicht unhübsches Mädchen vom Lande, das mit rührender Eifersucht über ihren Henri wachte. Sie war in Tränen aufgelöst, als sie auf eine verliebte Stelle in der französischen Ausgabe der »Reisebilder« stieß, und Heine mußte ihr schwören, nie mehr Liebesphrasen, auch nicht auf erfundene Gestalten, zu verwenden. Sie genoß das Leben an seiner Seite, warf das Geld mit beiden Händen zum Fenster hinaus und zwang den lächelnden Henri, die teuren Hüte, Spitzen und Schals als billige Gelegenheitskäufe zu bewundern. »Ihre unheilbare Verbrengerei« hat Heine so amüsiert wie der Umstand, daß sie nicht die geringste Ahnung hatte, neben oder mit wem sie eigentlich

lebte. Sie wußte nicht einmal, daß Heine Jude war und lehnte den Gedanken empört ab; Heines Verehrung für den »abscheulichen Ketzer Lütheer« war der braven Katholikin schon Greuel genug, die allsonntäglich mit ihren neuesten Samtroben und enormen Hüten in die Kirche spazierte. Heine warnte Besucher, ja nur von nichts zu sprechen, was etwa käuflich zu erwerben war, weil sie es sonst sofort haben wolle, und lachte über ihren Ausspruch:
»Heine, c'est un très-bon garçon, très-bon enfant; mais quant a l'esprit, il n'en a pas beaucoup!«
Er lachte auch, wenn sie regelmäßig auf die Frage, was es zu essen gäbe, »Hammelbraten« antwortete, weil sie wußte, daß er sie dann sofort zum Champagner-Déjeuner bei Vefour einlud.
Nur: *lachte* er wirklich? Man muß buchstäblich jede Zeile lesen, die Heine zu dieser und über diese Beziehung äußerte, um etwas ganz anderes zu spüren – eine Mischung aus Verfügungsgestus und ritualisierter Entfernung, Fremdheit gar. Getragen, ergriffen, in dieser Beziehung wahrhaft ruhend, das war Heine wohl nicht. Wie er seine Frau wahrnahm, das hat immer, von Anfang bis Ende, etwas – Szenisches. Heine beobachtet; mal gutmütig lächelnd, mal betroffen, mal ganz verständnislos. Man kann auch über ein Hündchen »lachen«, das sonderbare Sprünge macht, apportiert oder ungezogen ist. Heine unterzeichnete zwar Briefe »ton chien et mari« und führte Gästen vor, daß Mathilde außer »Nehmen Sie Platz« kein Deutsch konnte. Aber er schrieb auch immer wieder, daß

sie ein Wesen ohne Vernunft sei, daß sie kreuzbrav, ehrlich und ohne Böswilligkeit sei, ihn gut versorge oder sich gut aufführe.
»Führte sie sich nicht gut auf, so würde ich ihr jetzt die Freiheit geben, wie alle Könige ihren Völkern; sie würde dann sehen, was bey der Freiheit herauskömmt.« So spricht man vom Personal. Das Schulterklopfen ist unüberhörbar, und ein Spitzenschal soll getrost spendiert werden. Mit ihm, Heinrich Heine, hat das wenig zu tun. Liest man das alles, so drängt sich förmlich eine Liebesbeziehung ins Bild, die wir aus der nach – Heineschen Literatur kennen: Eine Liebe von Swann. Der ganze zweite Teil des I. Buches von Prousts »Recherche« wirkt wie eine pastiche-hafte Schilderung von Heines Ehe. Die sinnliche Einfältigkeit der Odette ist die Mathildes, ihre schmucksüchtige Weibchenhaftigkeit, ihr bares Unverständnis für Charakter und Begabung des Geliebten und das schließlich zum Genrebild erstarrte Nebeneinander des verheirateten Paares, dessen Ehe allenthalben mit Kopfschütteln, gar Mißbilligung zur Kenntnis genommen wird: Wüßte man nicht spätestens seit Painters Proust-Biographie, welche historischen Personen Modell standen zu Prousts epischer Porträtgalerie, man hielte es für ein kunstvolles Psychogramm von Madame et Monsieur Heiné. Bis in winzige Details der favorisierten Spaziergänge, der Roben, der fahrlässig-genüßlichen Sprechweise und eines genießerisch-gleichgültigen Sich-Treiben-Lassens sind Ähnlichkeiten vorhanden, rein zufällig. Und auch wieder nicht: Der französische Meister des psycho-

logischen Romans will eben mehr als Porträts geben. Seine Kunst besteht ja gerade darin, Verhaltensweisen, Lebensweisen, Charaktere aus einzelner Zufälligkeit zusammenzufügen. Dem Figurenballett liegt ein Thema zugrunde. Swanns Verfallenheit an die pflanzenhafte Odette entspricht zur selben Zeit eine sonderbare Gelassenheit. Und das heißt: Einsamkeit. Man klopft aus Eifersucht schon mal nachts ans Schlafzimmerfenster, aber man knöpft sich deshalb nicht die Handschuhe auf. Odettes keineswegs ausschließlich genossene üppige Sinnlichkeit bringt vielleicht um den Verstand, doch nie aus der Contenance. Die delikate Schicht reservierter Eleganz wird nicht durchdrungen. Mit dem Schriftsteller Swann hat das alles nichts zu tun.

Hat es mit Heinrich Heine zu tun, dann werden die Kommentare schon bitterer – weil die Inszenierung nicht mehr klappt. Als Mathildes Papagei – den Heine aus Wut über die übertriebene Sorge für ihn vergiftet hatte – tot war, wurde Mathilde fast ohnmächtig, schluchzte und schrie: »Nun bin ich ganz allein auf der Welt«. Als Jahre später ein zweiter Papagei starb, wiederholte sich in einer Nacht, in der Heine einen seiner todbringenden Anfälle hatte, die Szene:

»Nein, Henri, nein, du wirst mir das nicht antun, du wirst nicht sterben! Du wirst Mitleid mit mir haben! Diesen Morgen habe ich schon meinen Papagei verloren; wenn auch Du stürbest, ich wäre zu unglücklich.«

Heines Reaktion:

»Das war mir Befehl, ich gehorchte, ich habe fortgefahren

zu leben; Sie begreifen, wenn man triftige Gründe angibt . . .«

Ist das noch Lachen? Heine schrieb Liebesbriefe an Mathilde, die merkwürdig exaltiert klingen, in denen von »Liebe bis zum Wahnsinn« die Rede ist und der »einzigen Freude meines Lebens«. Doch Briefe sind ja Dokument der Ferne, und Heine hat seine ewigen Eifersuchtsbeschwörungen oft selber als vorweggenommene Phantasien bezeichnet. Für ihn war es selbstverständlich, daß er Mathilde oft und gern betrog, aus »Vergeßlichkeit«, wie er es nannte. Vergeßlich ist man mit einem Regenschirm, einem Haustier, einem Gegenstand. Dieses Wort benutzt Heine in einem der aufschlußreichsten Texte, der Mathilde meint, ohne sie zu benennen, und der deswegen wohl ernst zu nehmen ist. Als er in der »Romantischen Schule« gegen Uhlands Zeilen

»Ein Geisterlaut herunterscholl,
Ade! du Schäfer mein!«

räsonniert, kommentiert er das:

»Vielleicht auch bin ich für solche Gedichte etwas kühl geworden, seitdem ich die Erfahrung gemacht, daß es eine weit schmerzlichere Liebe gibt als die, welche den Besitz des geliebten Gegenstandes niemals erlangt oder ihn durch den Tod verliert. In der Tat, schmerzlicher ist es, wenn der geliebte Gegenstand Tag und Nacht in unseren Armen liegt, aber durch beständigen Widerspruch und blödsinnige Kapricen uns Tag und Nacht verleidet, dergestalt, daß wir das, was unser Herz am meisten liebt, von unserem

Herzen fortstoßen und wir selber das verflucht geliebte Weib nach dem Postwagen bringen und fortschicken müssen:

›Ade, du Königstöchterlein!‹

Ja, schmerzlicher als der Verlust durch den Tod ist der Verlust durch das Leben, z. B. wenn die Geliebte, aus wahnsinniger Leichtfertigkeit, sich von uns abwendet, wenn sie durchaus auf einen Ball gehen will, wohin kein ordentlicher Mensch sie begleiten kann, und wenn sie dann, ganz aberwitzig bunt geputzt und trotzig frisiert, dem ersten besten Lump den Arm reicht und uns den Rücken kehrt . . .

›Ade, du Schäfer mein!‹«

Heine nannte seine Frau Katze oder Wildkatze, und er schlug sie wie ein Droschkenkutscher; nicht in plötzlicher Raserei, aus Groll, Eifersucht oder sonstiger Exaltation, sondern so, wie man einem Hund oder auch einer Katze zeigt, wer der Herr ist; nicht als erotische Spielvariante (es waren oft Fremde zugegen), sondern als festes Ritual wie die Fütterung: Jeden ersten Montag im Monat gab es Prügel.
Von derlei ist hier keineswegs die Rede, um »ernster Mann mit langem Bart und doppelter Buchführung« zu spielen, wie Ludwig Marcuse die moralisierenden Leute mit dem erhobenen Zeigefinger nannte, die sich über Heines Eheleben entrüsteten. Es geht nicht um einen wie immer reagierenden Ehemann; das beträfe keinen Dritten. Es geht um die Attitüde des Pygmalion – eines, der Menschen

als Geschöpfe sieht; möglichst *seine* Geschöpfe. Die sind von ihm berührbar, er ist von ihnen im Kern nicht erreichbar. Berührbar: das ist ein Wort der Kunst, der äußeren Form. Es ist kein Wort des Paradieses, sondern der Vertreibung. Hochfahrend, kühl und sehr einsam. Es ermöglicht Beobachtung, und das heißt: Entfernung. Und exakt so bezeichnete Heine auch seine Beziehung zu Mathilde:

»Ich bin nun einmal in schöne Formen vernarrt, ich liebe die Reize Mathildes, ich betrachte sie gern. Ich bilde mir ein, Pygmalion zu sein. Sie war ein Geschöpf meiner Hand. Ich hauchte ihr die Seele ein, ich gab ihr das Leben. Sie lebt nur durch mich. Mir verdankt sie alles.«

Karl Marx nannte sie »dies Saumensch« und Heine nannte sie »mein Engel«. Marx auch war es, der – Heines Romanze »Ein Weib« variierend – mit der ihm eigenen Schärfe Mathilde aburteilte:

»Nur das für jetzt, daß das

›Sie aber schon um achte
Trank roten Wein und lachte‹

literally bei ihm eingetroffen. Seine Leiche stand noch im Sterbehaus – am Tag des Begräbnisses –, als der Maquereau der Mathilde mit ihrer Engelsmilde schon vor der Tür stand und sie in der Tat abholte.«

Aber wie gut kannte Karl Marx überhaupt Heinrich Heine? Auch hier hat die Legende die Historie überwuchert. Heines politische Position jedenfalls ist in höchstem Maße ambivalent. Wenn sie in einem Wort zusammenzufassen wäre, dann: Aristokratismus.

Bibliotheken sind gefüllt worden mit Darstellungen und Analysen von Heines politischer Entwicklung; »vor 1848 und nach 1848«, »vor Marx und nach Marx« und wie die Datierungen so lauten. Daß Heine, wie jeder Mensch, gewisse Veränderungen durchlebte, ist unbestritten. Doch genausowenig kann abgestritten werden, daß es ein sehr dominierendes statisches Element in Heines gesamter Denkweise gab. Heine hat diese und jene Denkmodelle geprüft und ausprobiert; letztlich war er nur sich selber Modell. Heines Grundposition hat sich nie wirklich geändert. Weil er Veränderung – hätte sie ihn mit einbezogen – haßte: »Ausgezeichneten Menschen wird eine Veränderung immer am sauersten« und, zu einem anderen Gesprächspartner: »Am Ende will man doch ruhig am Herde in der Heimat sitzen, und ruhig den Deutschen Anzeiger oder die Hallesche Literaturzeitung lesen und ein deutsches Butterbrot essen.« Nicht erst Zeugnisse von Besuchern aus späten Jahren sprechen vom »unversöhnlichen Feind jeder Pöbelherrschaft«. Schon 1831 heißt es:

»Unser Heine selbst hätte als Mitglied eines Wohlfahrtsausschusses weit lieber mit einer Marquise de l'ancien régime bei Austern und Champagner ein Schäferstündchen gefeiert, als sie, wie ein zweiter metaphysisch grübelnder, alles nivellirender St. Just, aus purer Volksbeglückungssucht zur Guillotine geschickt. Heine mit seinem feinen, blassen Gesicht, seinen zarten Händen, seinen aristokratischen Manieren war von jeher nur in Worten ein Republikaner, im Herzen der exklusivste Aristokrat.«

Und nicht erst 1847 sagt Heine von sich selber, er könne sich keine schönere Staatsform als eine Monarchie vorstellen – schon 1831 nennt er sich »Royalist aus angeborner Neigung«; acht Jahre zuvor freute er sich besonders, daß der künftige Mann seiner Schwester »kein Revolutionär« sei. Heine mochte nie Vaterlandsretter sein – ein Wort, das er ganz besonders verabscheute – und Heine wollte keinen Umsturz, nicht so und nicht so, nicht damals, jetzt oder später; sein Freund und Biograph Ludolf Wienbarg schildert das höchst anschaulich:

»Heine nahm allerdings an den Zeitereignissen den lebhaftesten Antheil, aber ein handelndes oder auch nur schreibendes Eingreifen in dieselben lag ihm unendlich fern. Politische oder sociale Agitationsabsichten haben ihn nie in seiner Schriftstellerei geleitet. Das Buch über den Adel ist ihm nur untergeschoben. Er war so wenig und wollte so wenig Revolutionsmann sein als ein Regenerator auf andern Gebieten, in welcher Hinsicht ich nur an sein bekanntes Wort: ich bin der Kränkste von Allen, zu erinnern brauche. Hätte es von ihm abgehangen, durch einen einzigen Federzug das Bestehende zu stürzen, die Welt zu verwandeln und anscheinend vollkommene Zustände herbeizuführen, er hätte sich wohl bedacht. Welt und Leben boten ihm Stoff zur Satyre, zur charakteristischen Abspiegelung, zu dichterischen Ergüssen, er hatte seine Sympathien und Antipathien in stärkster Weise und wie es von ihm als Dichter zu erwarten stand, er konnte schwärmen für große Charaktere und für die Entfesselung geschichtlicher Kräfte – aber ein Abgrund

trennte ihn von den Leuten da draußen, von dem Gewühl der Kämpfenden, von den Umtrieben der Lenker und Beweger. Er wußte, daß ihm diese Zurückhaltung vorkommenden Falls als Aristokratismus ausgelegt, sein freies Urtheil, sein nach allen Sehten hin unschonsamer Witz ihm zum Verderben gereichen konnte. Bricht nun gar, sagte er mal, in Deutschland die Revolution aus – sie wird weit schrecklicher und gründlicher sein als die französische – so bin ich nicht der letzte Kopf, der fällt.«
So 1830, in dem Jahr, in dem er nächtelang kein Auge zutat, weil er Gironde und Guillotine in seinen Alpträumen sah, so 1835, wenn er seine Neigung zum Absolutismus betont, so 1848, so 1855. Immer. Auch 1848? War er denn nicht der Vorsänger der Revolution, der Dichter des Weberlieds, Mitarbeiter an Marx' *Neuer Rheinischer Zeitung* und Ruges *Deutsch-Französischen Jahrbüchern*? Auch 1848.
»›Sind Sie mit der Richtung meiner Freunde einverstanden?‹ fragte ihn ein Mitarbeiter jener ›deutsch-französischen‹ Jahrbücher. ›Mit der Hinrichtung Ihrer Feinde wäre ich allenfalls eher einverstanden‹, war die Antwort.«
Heine nannte den Sturm auf das Palais Royal und die Ausrufung der Republik »die verwünschte Februarrevolution«, die seine Finanzen ruiniert habe, und er war »... glühender Republikaner bis zum Tage, da die Republik proklamiert wurde, ... nun weit davon entfernt, ihre jetzige Form zu bewundern«; Heine fand es nur selbstverständlich »natürlich«, vor allem an sich, seine Person, zu denken, wenn von Staatsformen die Rede war.

»Alle seit dem Februar 1848 aufgetretenen Freiheitshelden, aber auch alle, erfüllten ihn mit Ekel.« Nicht nur im Nachhinein. Im Juli 1848 spricht er von »Universalanarchie, Weltkuddelmuddel, sichtbar gewordenem Gotteswahnsinn«, im April hatte er an Freund Meissner geschrieben:

»Meine Gefühle bei dem Umschwung, den ich unter meinen Augen vor sich gehen sah, können Sie sich leicht vorstellen. Sie wissen, daß ich kein Republikaner war, und werden nicht erstaunt sein, daß ich noch keiner geworden. Was die Welt jetzt treibt und hofft, ist meinem Herzen völlig fremd, ich beuge mich vor dem Schicksal, weil ich zu schwach bin, ihm die Stirn zu bieten, aber ich mag ihm den Saum seines Kleides nicht küssen, um keinen nackteren Ausdruck zu gebrauchen . . .«

Im Januar 1849 spricht Heine in einem Brief an Campe von zusammengestürzter Welt und Chaos, Deutschland habe eine schreckliche Zeit überstanden. Jahre später spricht er im berühmten Abschnitt »Retrospektive Aufklärung« der »Lutetia« nicht nur von »rasendem Veitstanz«, sondern erinnert sich auch, wie er das Chaos draußen vor der Tür ließ.

Das bestätigt auf fast makabre Weise das Urteil einiger Geheimberichte, die im Jahre 1836 und 1837 an die österreichische Regierung gingen, und in denen nahezu verächtlich davon die Rede ist, für die Politik und als Revolutionär käme Heine überhaupt nicht in Betracht, selbst der Liberalismus sei ihm nur Relief für sein Talent ohne Grundsätze.

Briefe und Zeugnisse, Gespräche und allerlei Dokumentarisches. Das könnten beliebig zusammenklaubbare lose Steinchen sein, nicht Teile eines Mosaiks. Entscheidend ist das Werk. Einige von Heines Büchern oder Aufsätzen betrachtet man als die zentralen Äußerungen zum Themenkreis von Politik, Revolution, Sozialismus. Es gilt, sich auf diese Texte einzulassen.
Gemeinhin wird der Ausklang des Buches »Zur Geschichte der Religion und Philosophie in Deutschland« des Jahres 1833/34, ursprünglich für die *Revue des deux Mondes* verfaßt, als die Artikulation Heinescher Revolutionshoffnung interpretiert. Revolutionserwartung aber wäre das korrektere Wort – etwas kommen sehen und zu wünschen, daß es kommt, sind zwei gänzlich verschiedene Dinge. Was Heine sah, war ein Tornado, ein Erdbeben, eine Feuersbrunst. Was er ausrief, war Warnung. Der Absatz lautet:
»Das Christentum – und das ist sein schönstes Verdienst – hat jene brutale germanische Kampflust einigermaßen besänftigt, konnte sie jedoch nicht zerstören, und wenn einst der zähmende Talisman, das Kreuz, zerbricht, dann rasselt wieder empor die Wildheit der alten Kämpfer, die unsinnige Berserkerwut, wovon die nordischen Dichter soviel singen und sagen. Jener Talisman ist morsch, und kommen wird der Tag, wo er kläglich zusammenbricht. Die alten steinernen Götter erheben sich dann aus dem verschollenen Schutt und reiben sich den tausendjährigen Staub aus den Augen, und Thor mit dem Riesenhammer springt endlich empor und zerschlägt die gotischen Dome.

Wenn ihr dann das Gepolter und Geklirre hört, hütet euch, ihr Nachbarskinder, ihr Franzosen, und mischt euch nicht in die Geschäfte, die wir zu Hause in Deutschland vollbringen. Es könnte euch schlecht bekommen. Hütet euch, das Feuer anzufachen, hütet euch, es zu löschen. Ihr könntet euch leicht an den Flammen die Finger verbrennen. Lächelt nicht über meinen Rat, den Rat eines Träumers, der euch vor Kantianern, Fichteanern und Naturphilosophen warnt. Lächelt nicht über den Phantasten, der im Reiche der Erscheinungen dieselbe Revolution erwartet, die im Gebiete des Geistes stattgefunden. Der Gedanke geht der Tat voraus, wie der Blitz dem Donner. Der deutsche Donner ist freilich auch ein Deutscher und ist nicht sehr gelenkig und kommt etwas langsam herangerollt; aber kommen wird er, und wenn ihr es einst krachen hört, wie es noch niemals in der Weltgeschichte gekracht hat, so wißt: der deutsche Donner hat endlich sein Ziel erreicht. Bei diesem Geräusche werden die Adler aus der Luft tot niederfallen, und die Löwen in der fernsten Wüste Afrikas werden die Schwänze einkneifen und sich in ihren königlichen Höhlen verkriechen. Es wird ein Stück aufgeführt werden in Deutschland, wogegen die Französische Revolution nur wie eine harmlose Idylle erscheinen möchte. Jetzt ist es freilich ziemlich still: und gebärdet sich auch dort der eine oder andere etwas lebhaft, so glaubt nur nicht, diese würden einst als wirkliche Akteure auftreten. Es sind nur die kleinen Hunde, die in der leeren Arena herumlaufen und einander anbellen oder beißen, ehe die Stunde erscheint, wo dort die Schar der Gladiatoren anlangt, die auf Tod und Leben kämpfen sollen.«

Man muß diesen Text sehr sorgsam lesen und den Begriffsapparat Heines gleichsam wie ein Vokabelheft daneben legen, damit deutlich wird: Furcht, nicht Hoffnung, wird hier formuliert.

Die Rede ist von einer »brutalen germanischen Kampflust«, deren »Wildheit, die unsinnige Berserkerwut« emporzurasseln drohe. Emporrasseln ist kein Vorgang, den Heine schätzte – es ist deutlich eine Horrorwendung. Was da »emporrasselt«, werden steinerne Götter sein, und was sie als erstes tun werden, das ist: die Kunst vernichten; nämlich die gotischen Dome. Kantianer ist für Heine ein Pseudonym für Terror, Robespierre, Guillotine. Studiert hat er zwar die Französische Revolution – geliebt hat er sie nicht; wer ihn gar einen Sohn der großen Französischen Revolution nennen wollte, brauchte dazu schon mehr als Unverständnis, nämlich Unverfrorenheit. Wovor es Heine immer graute, das war eine plebiszitäre Gesellschaft, die in seinen Augen die Schrecken der von 1789 noch überträfe:

»Lachen Sie nicht über die heutigen Jakobiner; ihre Tollheit ist weit entsetzlicher wie die ihrer Väter, auch furchtbarer. Wenn der Père Duchesne auch noch so bougrement patriotique zürnte, war sein Zorn doch noch lange nicht so gefährlich wie jene Mischung von irdischem und himmlischem Wahnsinn, von Sansculottismus und Apokalypse, den die ›Revue démocratique‹ bietet. Mich graut vor der Möglichkeit eines Umsturzes der Dinge in

Frankreich. In einem heutigen Comité du salut public würden Männer sitzen, die weit schrecklicher als Robespierre, als der bittere *Rope-apsinthos.* Dieser war doch am Ende nur ein weltlicher Zungendrescher, ein Advokat. Aber denkt euch einen Torquemada, bekleidet mit der dreifarbigen Schärpe und dem Federhut eines représentant du peuple!«

Heines Abscheu vor »Volk« geht bis zur Hoffart – »Ich würde meine Hand waschen, wenn mich das souveräne Volk mit seinem Händedruck beehrt hätte«, korrigiert er das on-dit über einen Demokraten, der eben dieses nach königlichem Händedruck tun wollte.

Nein, die Französische Revolution wird in unserem Text keineswegs ausgerufen als Vorbild»stück«, das die deutsche Inszenierung leider nicht erreichen werde, sondern durchaus benannt als Gegenteil einer »harmlosen Idylle« – und das ist Chaos und Untergang. Die werden übertroffen noch in Deutschland, wo es »krachen« wird; auch dies kein Heinesches Lieblingsverbum. Und Adler, die tot vom Himmel fallen, oder verängstigte Löwen – keineswegs das Paradies, das Heine meint. Aber genau in diesem Buch – und nicht etwa, wie oft angenommen, erst Jahrzehnte später im französischen Nachwort zur »Lutetia« – hat Heine plastisch und genau seine Vorstellung idealer Zustände dieser Welt entworfen:

»Das große Wort der Revolution, das Saint-Just ausgesprochen: Le pain est le droit du peuple, lautet bei uns: Le pain est le droit divin de l'homme. Wir kämpfen nicht für die Menschenrechte des Volks, sondern für die Gottesrechte des Menschen. Hierin, und in noch manchen anderen Dingen, unterscheiden wir uns von den Männern der Revolution. Wir wollen keine Sansculotten sein, keine frugale Bürger, keine wohlfeile Präsidenten: wir stiften eine Demokratie gleichherrlicher, gleichheiliger, gleichbeseligter Götter. Ihr verlangt einfache Trachten, enthaltsame Sitten und ungewürzte Genüsse; wir hingegen verlangen Nektar und Ambrosia, Purpurmäntel, kostbare Wohlgerüche, Wollust und Pracht, lachenden Nymphentanz, Musik und Komödien – seid deshalb nicht ungehalten, ihr tugendhaften Republikaner! Auf eure zensorische Vorwürfe entgegnen wir euch, was schon ein Narr des Shakespeare sagte: ›Meinst du, weil du tugendhaft bist, solle es auf dieser Erde keine angenehmen Torten und keinen süßen Sekt mehr geben?‹«

Das liest sich wie der Gegenentwurf zum Schreckensgemälde von Tor mit dem Riesenhammer. Und daß Heine exakt diese Zeilen Jahre später in seinen zu Lebzeiten unpublizierten, wohl Mitte der 40er Jahre entstandenen »Briefen über Deutschland« noch einmal zitiert, zeigt eben jenes Element des Statischen. Er fügt dem einen Kommentar bei, der nichts an Deutlichkeit zu wünschen läßt:

»Diese Worte stehen in meinem Buche ›De l'Allemagne‹, wo ich bestimmt vorausgesagt habe, daß die politische Revolution der Deutschen aus jener Philosophie hervorgehen wird, deren Systeme man so oft als eitel Scholastik verschrien. Ich hatte leicht prophezeien! Ich hatte ja gesehen, wie die Drachenzähne gesät wurden, aus welchen heute die geharnischten Männer emporwachsen, die mit ihrem Waffengetümmel die Welt erfüllen, aber auch leider sich untereinander würgen werden!«

Man braucht nur wenige Zeilen weiterzulesen nach unserem Zitat aus seiner »Geschichte der Religion und Philosophie«, da steht sie mit fast flehentlich-drohender Gebärde, die Warnung: »Nehmt euch in acht! Ich meine es gut mit euch, und deshalb sage ich euch die bittere Wahrheit. Ihr habt von dem befreiten Deutschland mehr zu befürchten als von der ganzen Heiligen Allianz mitsamt allen Kroaten und Kosacken.«

Eine Verlockung?

Es braucht gar nicht die vieles zurücknehmende Vorrede zur 2. Auflage aus dem Jahre 1852 zitiert zu werden, in der von der spinnwebigen Berliner Dialektik – also Hegel – die Rede ist, die keinen Hund aus dem Ofenloch locken und keine Katze töten könne; das Buch selber ist durchzogen von Gedanken der Skepsis und Distanzierung von etwa umstürzlerischen Ideen. Und sei es in Form Heinescher Schnippischkeit, indem er die Fichte betreffende Anekdote kolportiert, derzufolge Hegel auf dem Sterbebett geseufzt habe: »Nur einer hat mich verstanden – und der hat mich auch nicht verstanden.«

Will man von einem Credo sprechen, einem Heineschen Bekenntnis in diesem Buch, dann ist ein ganz anderes Begriffspaar zu benennen, das hier auftaucht und Konstante sein wird in Heines Begriffsapparatur: Spiritualismus – Sensualismus; oder wie es später heißen wird Nazarenertum – Hellenentum. Den Spiritualisten galt

Heines Kampfansage ein lebelang, denen, die ein Tröpfchen Rosenöl zu gewinnen, alle Rosen dieses Lebens zertreten und zerstampfen. Also den Menschheitsbeglükkern und Vaterlandserrettern. Also jenen »ernsthaften Ouvriers«, von denen es zu Revolutionszeiten wimmelt, und vor denen Heine sich »ängstigt«. Darauf wird zurückzukommen sein.

Vorerst soll eines der köstlichsten, heitersten, »tanzendsten« Poeme Heinrich Heines betrachtet werden, der »Atta Troll«, entstanden im Spätherbst 1841. Es ist Heines großes Spottlied auf die politische Lyrik, seine unumwundene Absage an die Tendenzpoesie der Freiligrath und Herwegh, »ein Protest gegen die Plebiszita der Tagestribünen«:

»Damals blühte die sogenannte politische Dichtkunst. Die Opposition, wie Ruge sagt, verkaufte ihr Leder und ward Poesie. Die Musen bekamen die strenge Weisung, sich hinfüro nicht mehr müßig und leichtfertig umherzutreiben, sondern in vaterländischen Dienst zu treten, etwa als Marketenderinnen der Freiheit oder als Wäscherinnen der christlich-germanischen Nationalität. Es erhub sich im deutschen Bardenhain ganz besonders jener vage, unfruchtbare Pathos, jener nutzlose Enthusiasmusdunst, der sich mit Todesverachtung in einen Ozean von Allgemeinheiten stürzte und mich immer an den amerikanischen Matrosen erinnerte, welcher für den General Jackson so überschwenglich begeistert war, daß er einst von der Spitze eines Mastbaums ins Meer hinabsprang, indem er ausrief: ›Ich sterbe für den General Jackson!‹ Ja, obgleich

wir Deutschen noch keine Flotte besaßen, so hatten wir doch schon viele begeisterte Matrosen, die für den General Jackson starben, in Versen und in Prosa. Das Talent war damals eine sehr mißliche Begabung, denn es brachte in den Verdacht der Charakterlosigkeit. Die scheelsüchtige Impotenz hatte endlich, nach tausendjährigem Nachgrübeln, ihre große Waffe gefunden gegen die Übermüten des Genius; sie fand nämlich die Antithese von Talent und Charakter. Es war fast persönlich schmeichelhaft für die große Menge, wenn sie behaupten hörte, die braven Leute seien freilich in der Regel sehr schlechte Musikanten, dafür jedoch seien die guten Musikanten gewöhnlich nichts weniger als brave Leute, die Bravheit aber sei in der Welt die Hauptsache, nicht die Musik. Der leere Kopf pochte jetzt mit Fug auf sein volles Herz, und die Gesinnung war Trumpf. Ich erinnere mich eines damaligen Schriftstellers, der es sich als ein besonderes Verdienst anrechnete, daß er nicht schreiben könne; für seinen hölzernen Stil bekam er einen silbernen Ehrenbecher.«
Gerade die durchaus von Marx mitbeeinflußte »Schwenkung« Freiligraths meinte Heine. Noch im November 1841 hatte Freiligrath ja im *Morgenblatt für gebildete Stände* sein Gedicht »Aus Spanien« veröffentlicht, in dem es hieß:

»Der Dichter steht auf einer höhern Warte,
als auf den Zinnen der Parthei.«

Es war Herwegh, der in der von Marx redigierten

Rheinischen Zeitung am schärfsten erwiderte mit seinem Gedicht »Die Partei«:

»Partei! Partei! Wer sollte sie nicht nehmen,
die noch die Mutter aller Siege war.«

Freiligrath publiziert wenig später sein »Glaubensbekenntnis«, das er »entscheidend für mein Leben« nennt, und in dessen Vorwort er sagt, »daß ich nun doch von jener ›höheren Warte‹ auf ›die Zinnen der Partei‹ herabgestiegen bin«. Der Streit zwischen Herwegh und Freiligrath war zumindest so spektakulär wie Herweghs Reise zum preußischen König im Herbst 1842, die einem Triumphzug glich und schließlich mit der Ausweisung der »eisernen Lerche« endete. Auch diesen Vorgang hat Heine genau verfolgt, wörtliche Übereinstimmungen zum Beispiel zwischen einem Bericht der *Schweizer Nationalzeitung* vom 22. Oktober 1842 und Heineschen Formulierungen im »Wintermärchen« zeigen das. Er hat im »Atta Troll« Freiligrath ohne Unterlaß verspottet:

»Singen nicht die Nachtigallen?
Ist der Freiligrath kein Dichter?
Wer besäng den Löwen besser
Als sein Landsmann, das Kamel?«

Und er hat noch in den sogenannten »Aphorismen« seinen Wohllaut »meistens rethorischer Art« genannt, ihm abgesprochen, überhaupt imstande zu sein, ein Lied zu machen, denn »ein Lied ist das Kriterium der Ursprünglichkeit«. Heine hat ebenso im selben Poem wie schon in früheren Gedichten die poetischen wie politischen Luftereien Herweghs verlacht:

»An Georg Herwegh

Herwegh, du eiserne Lerche,
Mit klirrendem Jubel steigst du empor
Zum heiligen Sonnenlichte!
Ward wirklich der Winter zunichte?
Steht wirklich Deutschland im Frühlingsflor?

Herwegh, du eiserne Lerche,
Weil du so himmelhoch dich schwingst,
Hast du die Erde aus dem Gesichte
Verloren – Nur in deinem Gedichte
Lebt jener Lenz, den du besingst.«

Und schließlich hat sich Heine auch auf die »Partei-Debatte« eingelassen – allerdings in einer Form, die schließlich von Rücksicht auf den Ausgewiesenen geprägt war. Ursprünglich hatte Heine gedichtet:

»Auf der Zinne der Partei
Flattern sie mit lahmen Schwingen,
Platte Füsse, heis're Kehlen,
Viel Geschrei und wenig Wolle.«

Als Herwegh aus Preußen ausgewiesen wurde, schrieb

Heine an Heinrich Laube, den damaligen Redakteur der *Zeitung für die elegante Welt*, die im Frühjahr 1843 den »Atta Troll« druckte: »Anbei das Schlußkapitel des ›Atta Troll‹ . . . aber ich bitte, ändern Sie nichts daran: wegen Herweghs Mißgeschick habe ich nicht mehr ›Zinne der Partei‹ sagen dürfen.« In der Zeitung hieß es dann auch »auf den Wällen Deutschlands flattern sie herum mit lahmen Schwingen«.

Aber, und dies ist das Entscheidende: Heine ironisiert und persifliert nicht nur. Der »Atta Troll« ist nicht nur Spottgedicht, sondern auch Bekenntnisdichtung. Dem Konzept Freiligraths, dem er seine Hochschätzung noch in der Vorrede von 1846 bestätigt und den er nur auslachen, nicht mißwürdigen wollte, setzt Heine seine eigene poetische Konfession entgegen; es ist wieder die sensualistische:

»Caput III

Traum der Sommernacht! Phantastisch
Zwecklos ist mein Lied. Ja, zwecklos
Wie die Liebe, wie das Leben,
Wie der Schöpfer samt der Schöpfung!

Nur der eignen Lust gehorchend,
Galoppierend oder fliegend,
Tummelt sich im Fabelreiche
Mein geliebter Pegasus.

Ist kein nützlich tugendhafter
Karrengaul des Bürgertums,

Noch ein Schlachtpferd der Parteiwut,
Das pathetisch stampft und wiehert!«

Das ist die poetische Ausformung des Heineschen Menschenbildes – homo ludens, nicht homo militans. Als er in der »Lutetia« den großen deutsch-französischen Krieg voraussah und in seinem Gefolge den »zweiten Akt, die europäische, die Weltrevolution«, nahm er zugleich deren Resultat vorweg, schaudernd:
»Es wird vielleicht alsdann nur *einen* Hirten und *eine* Herde geben, ein freier Hirt mit einem eisernen Hirtenstabe und eine gleichgeschorene, gleichblökende Menschenherde!«
Dies alles ist klar und eindeutig, ob poetisch oder prosaisch. Wie verhält es sich nun mit jenem großen Gedicht, das so oft als Herzstück der politischen Dichtung Heines ausgerufen wird, dessen Verse August Bebel von der Tribüne des Reichstags zitierte, als er die Ziele der Sozialisten illustrieren wollte, dessen Beginn Plechanow den »Leitgedanken der modernen Arbeiterklasse« nannte und dem auch sein sorgsamster marxistischer Interpret, der DDR-Wissenschaftler Hans Kaufmann, eine »sozialistische Perspektive« bescheinigt, es gar einen »sozialistischen Hymnus« nennt. Wie also steht es mit »Deutschland, ein Wintermärchen«?
In einer seiner frühesten Äußerungen, in einem Brief vom April 1844, mit dem er das Gedicht seinem Verleger anbietet, nennt er es »politisch romantisch«, es werde »der prosaisch bombastischen Tendenzpoesie hoffentlich den

Todesstoß geben«. Im selben Brief erwägt er auch – zwar ungern – den Gedanken, es in einem Band mit »Atta Troll« zu publizieren, falls das gegen die Zensur hilft; bekanntlich unterlagen Bücher von 20 Bogen nicht mehr der preußischen Zensur. Einen grundlegenden Widerspruch beider Werke kann Heine mithin nicht empfunden haben.
Es ist vom lyrischen Duktus her Heines »wildestes« Gedicht, strotzend von doppelbödiger Keckheit und voller literarischer Zwinkereffekte. Nirgendwo hat Heine sonst so – wie er selber sagt – »possenhafte und groteske Reime« gewagt. »Franzosen« auf »Saucen«, »Schloß saß« auf »Barbarossas«, »Punsch ein« auf »Mondschein« und schließlich der wohl berühmteste seiner gewagten Verse:

»Von Köllen bis Hagen kostet die Post
Fünf Taler sechs Groschen preußisch.
Die Diligence war leider besetzt,
Und ich kam in die offene Beichais'.«

Von hier bezog Karl Kraus seinen Groll gegen Heine, von dem er nicht glaubt, daß seine schmerzlichen Liebeslieder Produkt eines echten Dichters seien, von dem er sagt, er habe der deutschen Sprache so sehr das Mieder gelockert, daß heute alle Kommis an ihren Brüsten fingern könnten und dessen »Buch der Lieder« seiner Meinung nach Operettenkitsch ist:
»Wahrlich, der Heinesche Vers ist Operettenlyrik, die auch gute Musik vertrüge. Im Buch der Lieder könnten die Verse von Meilhac und Halévy stehen:

Ich bin dein
du bist mein
welches Glück ist uns beschieden
nein es gibt
so verliebt
wohl kein zweites Paar hienieden.«

Wichtiger als diese Philippika ist Adornos Bemerkung über die sprichwörtliche Leichtigkeit der Heineschen Sprache, der ihr Gegenstand, je »instrumentaler« behandelt, je »assimilatorischer« eingesetzt, fremd bleibt – Zeichen mißlungener Assimilation. Je kunstvoller, desto weniger Realitätsgehalt. Tatsächlich, die kecke Munterkeit des Dichters des »Wintermärchens« ist gerade nicht Gewähr für brave Gesinnung, überprüfbar und katalogisierbar.

Ist also »Caput I« ein Heinesches Glaubensbekenntnis? Gar ein sozialistisches? Die berühmten Verse vom neuen und besseren Lied geben das nicht her:

»Ein neues Lied, ein besseres Lied,
O Freunde, will ich euch dichten!
Wir wollen hier auf Erden schon
Das Himmelreich errichten.

Wir wollen auf Erden glücklich sein,
Und wollen nicht mehr darben;
Verschlemmen soll nicht der faule Bauch,
Was fleißige Hände erwarben.

Es wächst hienieden Brot genug
Für alle Menschenkinder,
Auch Rosen und Myrten, Schönheit und Lust,
Und Zuckererbsen nicht minder.

Ja, Zuckererbsen für jedermann,
Sobald die Schoten platzen!
Den Himmel überlassen wir
Den Engeln und den Spatzen.«

Das ist, beim Worte genommen, nichts als eine versifizierte Fassung aller bisherigen »Geständnisse«. Es geht mit keinem Begriff, keinem Wort, keiner Silbe über die Paradies-Hoffnung zum Beispiel der »Lutetia« hinaus. Ob »Nektar und Ambrosia« oder »Rosen und Myrten«, ob »Wollust und Pracht« oder »Schönheit und Lust«, ob »Wohlgerüche« oder »Zuckererbsen«: Wo steht hier im Gegensatz zur bis dato vagen Freiheitsbegeisterung die »fast wissenschaftliche« Erkenntnis, »daß Freiheit vor allem in der Beseitigung der Ausbeutung des Menschen durch den Menschen besteht«? Heines Text bietet eine solche Extrapolation nicht an; nirgendwo. Es findet sich bei ihm einmal die Formulierung »l'exploitation de l'homme par l'homme«. Aber nicht zufällig französisch – Heine zitiert Saint-Simon! Und nicht einmal dieses Zitat kann als Beweis von Heines »Entwicklung« vom vagen Zukunftsglauben der 30er Jahre zum präzisen Sozialismus-Konzept der 40er Jahre in Anspruch genommen werden; es steht in der Vorrede zur französischen Ausgabe der »Reisebilder« und ist datiert – 1834. Genau zehn Jahre vor dem »Wintermärchen«. Deshalb ist es keineswegs »müßig«, zu fragen, ob es sich bei »Caput I« um saint-simonistische oder kommunistische Gedankengänge handelt.

Daß Heines Deutschland-Poem eine bittere Satire ist auf sein deutsches Vaterland – das ist eine Binsenweisheit und muß nicht gesondert untersucht, gar bewiesen werden:

»Ihr Toren, die ihr im Koffer sucht,
Hier werdet ihr nichts entdecken!
Die Konterbande, die mit mir reist,
Die hab' ich im Kopfe stecken.
. . .
Im Kopfe trage ich Bijouterien,
Der Zukunft Krondiamanten,
Die Tempelkleinodien des neuen Gotts,
Des großen Unbekannten.«

Konterbande, Ketzergedanken, Haß und Hohn über die deutschen Zustände – gewiß. Aber wie präzise sind die »Bijouterien«, »Krondiamanten« und »Tempelkleinodien« – nicht zufällig Märchenworte? Daß dieses Gedicht voller Ironien und Selbstironien ein veritables Bekenntnis zum Sozialismus, gar Vorbereitung der Revolution sei – das ist pure Spekulation.

Hans Kaufmann hat in einem Aufsatz, der 15 Jahre nach seinem Buch über das »Wintermärchen« erschien, dessen

Hauptthese damals genau darauf hinauslief, auch wesentlich stärker differenziert, fast revoziert. Ganz richtig bezieht er sich jetzt auf die Marxsche Unterscheidung von der Februarrevolution als der schönen und der Junirevolution als der häßlichen Revolution; was Heine im »Wintermärchen« artikulierte, war eben nichts anderes. Umwälzung als Revolution der allgemeinen Sympathie, als »schöne Revolution«; also keine.

Kaufmanns sehr nachdenkliche Konsequenz ist also keineswegs abwegig: »Darum bezeichnet auch das, was mit Heines ›Abdankung‹ zusammenhängt, einen nicht nur für ihn, vielmehr für das weitere Schicksal der Kunst folgenreichen Umstand. Die Schönheit wird zur Beschönigung, zur Lüge, und die Wahrheit trägt ein häßliches Gewand.«

Die Jahre 1843/44 sind die Jahre der engen Bekanntschaft mit Marx, die Arnold Ruge im Dezember 1843 vermittelt hatte. Ruge rühmte sich auch, gemeinsam mit Marx den Dichter von der ewigen »Liebesnörgelei« weggebracht und zur »Peitsche« der politischen Lyrik geführt zu haben. Zwar zog Marx bald den Umgang mit Herwegh vor, aber die beiden Männer sahen sich häufig, lasen sich Texte vor, diskutierten, und Marx schickte den leicht larmoyanten Heine gern zu seiner Frau Jenny, wenn er des Trostes wegen irgendwelcher Literaturfehden bedurfte. Nur: das alles dauerte 13 Monate. Am 3. Februar 1845 verläßt Marx bereits Paris auf Anordnung des Ministeriums Guizot. Ein Jahr zuvor ist das erste und einzige Heft der *Deutsch-französischen Jahrbücher* von Ruge erschie-

nen, in dem Marx, Engels, Herwegh und Heine die wichtigen Autoren waren. Der fulminanteste Text stammt von Karl Marx, eine Kaskade brillanter Ideen und Formulierungen – von der »Religion als Opium des Volkes« über »radikal sein ist die Sache an der Wurzel fassen. Die Wurzel für den Menschen ist aber der Mensch selbst« bis zum furiosen Schluß »Die Emanzipation der Deutschen ist die Emanzipation des Menschen. Der Kopf dieser Emanzipation ist die Philosophie, ihr Herz das Proletariat.«
Es ist Marx' »Einleitung zur Kritik der Hegelschen Rechtsphilosophie«. Und es ist der Marxsche Kanon, dem der stärkste Einfluß auf Heinrich Heine zugeschrieben wird. Hans Kaufmann nennt das »Deutschland«-Poem »eine Art von poetischem Gegenstück« zu der Arbeit des 26jährigen Marx. Ein eher emphatischer als exakter Befund. Der Marx-Text hebt an mit der Feststellung, »die Kritik der Religion ist die Voraussetzung aller Kritik«. Das hat tatsächlich seine poetische Parallele in Heines Vers:

»Sie sang das alte Entsagungslied,
Das Eiapopeia vom Himmel,
Womit man einlullt, wenn es greint,
Das Volk, den großen Lümmel.«

Auch Marx' Konsequenz, die Kritik des Himmels verwandle sich in eine Kritik der Erde, könnte noch eine Heinesche sein. Doch genau hier ist die Grenze; von hier ab geht Marx einen gedanklichen Weg, auf dem ihm Heine keineswegs folgt – nicht im »Deutschland«-Poem und nirgendwo sonst: Methode und vor allem Zielvorstellung sind bei Marx und Heine durchaus verschieden. Schon der nächste Absatz in Marx' Einleitung liest sich nicht mehr wie ein kritischer Waffengang *mit* Heine, eher wie eine Kritik *an* Heine:

»Wenn ich die gepuderten Zöpfe verneine, habe ich immer noch die ungepuderten Zöpfe. Wenn ich die deutschen Zustände von 1843 verneine, stehe ich, nach französischer Zeitrechnung, kaum im Jahre 1789, noch weniger im Brennpunkt der Gegenwart.«

Aber Heine wollte keineswegs ein 1789; dieses Datum und alles, was es implizierte, war ihm ein Alb. Wenn Marx wenige Absätze weiter die Kritik keine Leidenschaft des Kopfes, sondern den Kopf die Leidenschaft nennt, ihn kein anatomisches Messer, sondern eine Waffe nennt, wenn er als Gegenstand aller Kritik den *Feind* sieht, der nicht widerlegt, sondern *vernichtet* werden muß [Hervorhebungen bei Marx] – dann sind das bereits Kategorien, die dem Heineschen Gefühls- wie Denkschema vollständig fremd sind. Marx, in einem kurzen historischen Exkurs, verurteilt Luther, der die Knechtschaft aus Devotion durch die Knechtschaft aus Überzeugung ersetzt habe – Heine verehrte Luther sein lebelang. Marx' Forderungen gipfeln in der nach einer radikalen Revolution – das Mittelstück von Heines gesamtem Poem, »Caput XII«, gipfelt in einer Absage an jeglichen Volkstribun, hieße der sogar Heinrich Heine:

»Ich bin kein Schaf, ich bin kein Hund,
Kein Hofrat und kein Schellfisch –
Ich bin ein Wolf geblieben, mein Herz
Und meine Zähne sind wölfisch.

Ich bin ein Wolf und werde stets
Auch heulen mit den Wölfen –
Ja, zählt auf mich und helft euch selbst,
Dann wird auch Gott euch helfen!«

Marx konstituiert sogar die neue Partei, die die Auflösung der bisherigen Weltordnung verkünden und erzwingen wird: das Proletariat – Heine antwortet gleichsam darauf, wenn er in Caput XX den Besuch bei der Mutter schildert, von der er sich köstlich bewirten läßt, deren Fragen [»Sie frug wohl dies, sie frug wohl das, verfängliche Fragen mitunter«] – deren Fragen er aber koboldhaft ausweicht:

»›Mein liebes Kind! Wie denkest Du jetzt?
Treibst Du noch immer aus Neigung
Die Politik? Zu welcher Partei
Gehörst du mit Überzeugung?‹

›Die Apfelsinen, lieb Mütterlein,
Sind gut, und mit wahrem Vergnügen
Verschlucke ich den süßen Saft,
Und ich lasse die Schalen liegen.‹«

Kann man deutlicher undeutlich sein? Selbst das grandiose Lied von den »schlesischen Webern« ist Klage und Fluch;

Fanfare nicht. Gewebt wird das Leichentuch des Alten Deutschland; keine Fahne eines Neuen. »Sozialistischer Hymnus« nicht da, nicht dort; und gar kein »Auferstehungstag«, mit dessen Verkündung Marx' Text schließt. Die Frage muß sogar umgekehrt lauten: Wie weit ist nicht vielmehr der 20 Jahre jüngere Karl Marx, der Wesentliches noch nicht veröffentlicht hat, von Heinrich Heine beeinflußt? Der amerikanische Heine-Forscher Nigel Reeves hat in einer Studie sehr präzise nachgewiesen, daß bis in Details der Formulierungen hinein es Marx war, der Gedanken von Heine übernommen hat. Vor allem »Zur Geschichte der Religion und Philosophie in Deutschland«, aber auch »Die Romantische Schule« sind Bücher, die Marx ganz deutlich sorgfältig gelesen hat, die »Religion als geistiges Opium« kommt dort (wie im Börne-Buch) vor, wie eben jener »Gallische Hahn« in der »Einleitung zu Kahldorf über den Adel«. Selbst die sprachliche Brillanz, die wirkungsvolle Zuspitzung seiner dialektischen Stilfiguren hat Marx in späteren Jahren nie wieder erreicht. Dies aber mag lediglich äußeres Indiz sein; und zwar für die wichtigere Tatsache, wessen Denkmuster die vorher geprägten waren.

Marx' Text ist nicht zufällig bereits im Titel Hegel-Kritik. Es war aber Heine, der auch bei Hegel in Berlin gehört hatte, stolz ein Testat von ihm vorzeigte – und der Zeit seines Lebens Hegelianer geblieben ist. Die frühe Formulierung »Hegel, der Orléans der Philosophie« faßt beides zusammen, was Heine bejaht (und was Marx nicht bejaht): das Hegelsche Weltbild und seine Entsprechung im

Bürgerkönigtum. Heine teilte nicht nur Hegels Napoleonbegeisterung, seine Bewunderung des »Weltgeists zu Pferde«. Heines gesamtes Weltkonzept – also auch seine Vorstellungen von Politik – waren hegelianisch. Und das heißt, dem Denken die Kraft zur Veränderung zumessen; ein dem Künstler Heinrich Heine sehr entsprechendes Modell. Kant war für Heine immer »Jacobinertum«, ein denkerischer Robespierre, ein Vorläufer der Guillotine. Heine hat viele Jahre später in den »Briefen über Deutschland« von diesem »Schulgeheimnis der deutschen Philosophie« – dem Vorausahnen, Vorandenken – gesagt »ich hab' es längst geträumt und ausgesprochen«; aber *was* er dann als Resultat wiedergibt, ist ein Zitat aus dem eigenen Text, nämlich aus der »Geschichte der Religion und Philosophie in Deutschland«, und es ist jene berühmte Definition seines »sensualistischen Programms«:
»Wir wollen keine Sansculotten sein, keine frugale Bürger, keine wohlfeile Präsidenten: wir stiften eine Demokratie gleichherrlicher, gleichheiliger, gleichbesiegter Götter. Ihr verlangt einfache Trachten, enthaltsame Sitten und ungewürzte Genüsse: wir hingegen verlangen Nektar und Ambrosia, Purpurmäntel, kostbare Wohlgerüche, Wollust und Pracht, lachenden Nymphentanz, Musik und Komödien. – Seid deshalb nicht ungehalten, ihr tugendhaften Republikaner!«
Vom Kopf auf die Füße gestellt hat Heine seinen Hegel nicht. Er hat, wie er später in einem Gespräch mit Lassalle zugab, von der Hegelschen Lehre »nichts begriffen« und in den »Geständnissen«, zwei Jahre vor seinem Tode, sehr

apodiktisch die Summe seiner Erfahrung gezogen:
»Ich empfand überhaupt nie eine allzu große Begeisterung für diese Philosophie, und von Überzeugung konnte in bezug auf dieselbe gar nicht die Rede sein. Ich war nie abstrakter Denker . . .«
Doch er hat eine Art Aufklärerimpuls von ihm erhalten, fast könnte man von einem »Auftrag« sprechen. Die beiden überlieferten Begegnungen zwischen Hegel und Heine kulminieren in solchen wohl nicht nur anekdotischen Dialogen. Heine berichtete Lassalle von einem Besuch bei dem großen Philosophen, in dessen Verlauf er versonnen aus dem Fenster in den abendlichen Himmel geblickt habe, bis sich eine Hand auf seine Schulter gelegt und Hegels Stimme gesagt habe, »die Sterne sind's nicht: doch was der Mensch hineinlegt, *das* eben ist's.« Heine hat diese Szene nie vergessen, in ihr hat sich der »Puls des Jahrhunderts« für ihn offenbart, die Summe gleichsam der Hegelschen Philosophie; also eine, die an den Einzelnen appelliert. Das zweite Gespräch, von Heine in den »Briefen über Deutschland« berichtet, klingt wie eine Variation dieses Themas. Auf Heines »Unmut« über Hegels »was vernünftig ist, das ist wirklich, und was wirklich ist, das ist vernünftig« – von Heine etwas verknappt als »alles, was ist, ist vernünftig« begriffen –, habe Hegel lächelnd bemerkt: »Es könnte auch heißen: ›Alles, was vernünftig ist, muß sein.‹« Das ist der Appell zum großen Voran; Appell an – die Vernunft. Die Rede ist vom Hirn des Philosophen, in dem die Revolution beginnt. Nur: für Heine endete sie dort auch. Für Marx

nicht. Es war, um Dolf Sternbergers Formulierung zu übernehmen, jener Moment, wo für Heine der Gedanke zur Tat übersprang – in Gedanken. Es ist exakt dieses Konzept, das jenem Gedicht zugrunde liegt, das häufig in Anspruch genommen wird als Zeichen von Heines revolutionärer Gesinnung, seinen Schritt über Hegel hinaus zu Marx hin. Die genaue Datierung ist strittig, doch entstand es zweifelsfrei in dieser Zeit der Begegnung mit Marx, zwischen 1842 und 1844. Es heißt »Doktrin«, und fraglos ist damit die Hegelsche gemeint:

»Schlage die Trommel und fürchte dich nicht,
Und küsse die Marketenderin!
Das ist die ganze Wissenschaft,
Das ist der Bücher tiefster Sinn.

Trommle die Leute aus dem Schlaf,
Trommle Reveille mit Jugendkraft,
Marschiere trommelnd immer voran,
Das ist die ganze Wissenschaft.

Das ist die Hegel'sche Philosophie,
Das ist der Bücher tiefster Sinn!
Ich hab sie begriffen, weil ich gescheit,
Und weil ich ein guter Tambour bin.«

Keine Zeile, auch kein Hauch zwischen den Zeilen, von Revolution. Es ist das Gedicht eines militanten Aufklärers, und als eben den hat Heine sich Zeit seines Lebens verstanden. Heine, der bekanntlich Tage und Wochen nach der französischen Entsprechung einer Formulierung suchte, nannte das Gedicht in der Übersetzung »Le Réveil«. »Was vernünftig ist, das muß sein« – das steht hier, in kunstvoll miteinander korrespondierende Verse gesetzt. Nicht weniger, aber auch nicht mehr. Aufwecken, wachtrommeln. Das betrifft den Zustand der Welt. Ihn zu zeigen, lachend, weinend, boshaft, schmerzhaft, ist Heine gelungen wie kaum einem Autor vor und nach ihm. Ein Umsturz aber, geschweige denn eine irgend erkennbare neue, andere Welt wird hier nicht formuliert. Von Gegnern oder Vernichten geht die Rede nicht. Kein Regiment steht in irgendeinem Kampf, gewaffnet; sondern ein Spielmannszug, ihm voran der Oberspielmeister. Es ist nicht zufällig jenes Bild vom Tambourmajor, das an zentraler Stelle des Börne-Buches auftaucht, um die Position des schellenklingenden, kunstvollen Spielmanns Heinrich Heine abzugrenzen gegen die schweren Säbel des verhaßten Republikaners Ludwig Börne. *Das* ist Heines Hegelsche Philosophie. Mit dem Marx, der Hegel bereits überwindet, hat das nichts, aber auch rein gar nichts zu tun. »Marx did not provide Heine with new ideas and certainly not with a system«, sagt Nigel Reeves, »he confirmed and refreshed what originally stemmed from Heine himself«.

Karl Marx ist Citoyen, Heinrich Heine ist Bourgeois. Karl Marx ist Karl Marx, und Heinrich Heine ist – Aristophanes.

Heine zerbrach lieber die Tafeln der Gesetze, als ihnen zu

folgen, gar welche zu errichten. Unzählige Male hat er betont, eigene frühere Aussprüche interessierten ihn nicht, und er sei in Minutenfrist dieser und ganz anderer Meinung. Als ihm eines Tages ein Freund vorwarf, die These, die er eben verteidige, habe er doch noch tags zuvor verdammt, antwortete Heine mit dem unschuldigsten Gesicht: »Haben Sie wirklich angenommen, daß ich immer meiner eigenen Meinung sei?« Ein überliefertes, stundenlanges politisches Gespräch zwischen ihm, Balzac und Eugène Sue klingt wie eine Bühnenfassung zur Illustration dieser Haltung. Während Balzac gegen Sozialismus – »Mörder seiner Mutter, der Republik, und seiner Schwester, der Freiheit« – wetterte, über den Kommunismus – »eine Rückkehr zur Barbarei, der unmittelbarste, heftigste Feind der Demokratie« – förmlich wütete; während Sue mit mehr langatmigen als überzeugenden Phrasen –»weg mit Privilegien und Ungerechtigkeiten, nachher wird sich schon zeigen, was zu tun ist« – den Sozialismus verteidigt, macht Heine Witze. Er schenkt Champagner nach und amüsiert mehr sich als die Gesellschaft mit allerlei Frivolitäten über Liebe und Ehe. Doch schließlich bittet man ihn quasi um das Schlußwort:

»Im Aufstehen fragte Sue: ›Aber was meint nun eigentlich Freund Heine dazu?‹

›Als guter Deutscher bin ich verschiedener Ansicht‹, antwortete Heine. ›Wenn ich sie zusammenfasse, denke ich so. Aber ich muß gleich bemerken, daß ich bis auf die Sündflut zurückgehe. Darf ich?‹

›Tun Sie's nur‹, sagte Balzac, ›das wird Ihnen nicht schwer

fallen, Sie brauchen sich nur auf den Pegasus zu schwingen.‹

›Es ist mir aufgefallen, daß der Tag von vierundzwanzig Stunden aus Tag und Nacht besteht. Zwei Kontraste. Der Tag ohne die Nacht, so schön er auch sein mag, würde sehr unbequem sein. Ebenso die Nacht ohne den Tag. Es ist mir weiter aufgefallen – da bin ich schon bei der Sündflut –, daß zum Kinderkriegen zweie nötig sind, ein Mann und eine Frau, besonders eine Frau. Wieder zwei Kontraste, die sich ab und zu einigermaßen harmonisch verbinden. Des weiteren habe ich beobachtet, um ein gutes Geschäft zu machen, braucht der Schlaukopf einen Dummen. Zwei Dissonanzen – so sagte mir, glaube ich, Berlioz, denn mit Meyerbeer bin ich verkracht – ergeben stets eine Harmonie, und der vollkommene Akkord setzt sich zusammen aus einer Terz, einer Quinte und einer Oktave. Bei der Liebe, behaupten die Kabbalisten, soll dasselbe Mysterium walten. Es soll sogar eine Farbentonleiter geben. Kurz alles, was von Dauer, was zum Vergnügen da ist, besteht aus Kontrasten. Genau so, liebe Freunde, steht es mit Republik und Monarchie. Nicht die *oder* die andere, sondern die eine *und* die andere, beide zusammen. Die eine und die andere mögen noch so sehr Dissonanzen sein – miteinander verbunden ergeben sie einen vollkommenen Akkord. Was wir brauchen, ist eine Republik, geleitet von Monarchisten, oder eine Monarchie, beherrscht von Republikanern. – Ich habe mehr als zweihundertundfünfzig unwiderlegliche Beweise für meine These; sie hat nur einen Fehler: sie riecht nach Eklektizismus. Aber ich muß

aufhören. Ich habe eine Frau, oder vielmehr: meine Frau hat mich. Sie wird mir nie glauben, daß ich anderswo mit Genies frühstücke. Ich muß heim, aber ich darf Sie hoffentlich bald einmal bei mir sehen. Wir werden die Republik ausrufen. Balzac wird Präsident, Sue Generalsekretär. Ich bringe Ihren Ruhm in deutsche Verse, denn einem Romanschriftsteller werden die Franzosen nie politisches Genie zugestehen. Meyerbeer wird die Verse in Musik setzen, und der kleine Weill mit seinem Heldentenor wird sie singen.‹«
Heine teilte Balzacs Abscheu vor dem Kommunismus. »Es hilft alles nichts«, sagte er am Ende seines Lebens, »die Zukunft gehört unseren Feinden, den Kommunisten.« Sätze dieser Couleur lassen sich aus allen Lebensabschnitten belegen, aus den einzelnen Abschnitten der »Lutetia« – also den frühen 40er Jahren – so gut wie aus der berühmten »Préface« des Jahres 1855.
Heine und der Kommunismus. Die differenzierteste Untersuchung zu diesem Thema stammt von Leo Kreutzer. Seine These »Heine sagt Kommunismus und meint den Babouvismus« ist materialreich belegt. Tatsächlich scheinen sich Heines Abwehr- und Horrorrufe vom Gleichheitstaumel, von der Gleichheitsraserei oder der Gleichheit der Genüsse ausschließlich auf Babeuf zu beziehen. Was Heine an Organisationsformen oder theoretischen Grundlagen des Sozialismus kannte, waren entweder die oppositionellen Pariser Geheimgesellschaften der frühen 30er Jahre – »Gesellschaft der Volksfreunde«, »Gesellschaft der Menschenrechte« – oder vermittel-

ten ihm Führer der neobabouvistischen Bewegung; er hat Auguste Blanqui noch als republikanischen Versammlungsredner erlebt und darüber in der *Augsburger Allgemeinen Zeitung* berichtet. Die »Société des Saisons«, 1837 gebildet, ist die erste Geheimgesellschaft, die das Programm des Gracchus Babeuf realisieren will. Marx nannte diesen Mann, Haupt der »Verschwörung der Gleichen«, hingerichtet am 28. Mai 1797, die »erste Erscheinung einer wirklich agierenden kommunistischen Partei«. Die Bezeichnung »Verschwörung der Gleichen« kennzeichnet auch den Inhalt der Lehre – eben jenen Gleichheitstaumel, eben jene bilderstürmerische Wut, vor der sich Heine schüttelt. An der Stelle, wo er dem zum ersten Mal Ausdruck gibt – »Unglück für die Menschheit« –, fällt auch der Name Babeuf. Heine kannte auch das 1828 in Brüssel erschienene Buch »Conspiration pour l'égalité dite de Babeuf« von dessen Mitverschwörer Filippo Buonarroti. Die Auswirkungen sah er bei einem Besuch im Pariser Faubourg Saint-Marceau und einiger »Ateliers« dieses Arbeiterviertels – bei den Ouvriers seien Schriften verbreitet, die wie Blut röchen, schreibt er in der *Augsburger Allgemeinen Zeitung*. Und sein Ekel vor der »Gleichheit der Genüsse« nimmt wörtlich eine Wendung aus Buonarrotis Flugschrift »Analyse der Lehre Babeufs« auf, die 1796 in Paris verbreitet und jetzt in seinem Buch wieder aufgenommen war, jenes Wort von den »jouissances communes«: » . . . die Natur hat jedem Menschen ein gleiches Recht auf den Genuß aller Güter gegeben.« Das mag Balzac gemeint haben, wenn er höhnisch sagte: »Mit demselben Recht kann man sagen: es darf niemand Genie haben, wenn soundsovielen andern der gesunde Menschenverstand abgeht.« Das meint auch Heine, wenn er von Froschgezücht spricht, das aus Hecken und Sümpfen kröche und dem republikanischen Gequake wichtiger sei als seine Nachtigallenlieder.

Heines Furcht wird durch die Texte bestätigt, die er las; in Buonarrotis Dokumentation etwa war abgedruckt der »Entwurf eines Polizeigesetzes«, dessen Artikel 3 skizziert, was man nach dem Sieg der Gleichheitsverschwörer zu erwarten habe. Als »nützliche Arbeiten« galten da Ackerbau und Fischfang, Schiffahrt und Kriegshandwerk; Unterricht und Wissenschaft stehen an letzter Stelle und haben den Rang der Nützlichkeit nur, wenn die Ausübenden über Zeugnisse ihrer staatsbürgerlichen Zuverlässigkeit verfügen. – In einem anderen »Manifest der Gleichen« schrieb dessen Autor Sylvain Maréchal: »Mögen, wenn es sein muß, alle Künste untergehen, wenn uns nur die wirkliche Gleichheit bleibt«, so wie Buonarroti in seiner Babeuf-Analyse gefragt hatte: »Täten uns übrigens Glanz und Künste und Flitterwerk des Luxus Not, wenn wir das Glück hätten, unter den Gesetzen der Gleichheit zu leben?«

Ohne jede Frage: das ist gemeint, wenn Heine in der Préface zur »Lutetia« sein Anti-Credo formuliert:

»In der Tat, nur mit Grauen und Schrecken denke ich an die Zeit, wo jene dunklen Bilderstürmer zur Herrschaft gelangen werden: mit ihren rohen Fäusten zerschlagen sie alsdann erbarmungslos alle Marmorbilder der Schönheit, die meinem Herzen so teuer sind; sie zertrümmern alle jene Spielzeuge und phantastischen Schnurrpfeifereien der Kunst, die dem Poeten so lieb waren; sie hacken mir meine Lorbeerwälder um und pflanzen darauf Kartoffeln; die Lilien, welche nicht spinnen und arbeiteten und doch so schön gekleidet waren wie König Salomon in all seinem Glanz, werden ausgerauft aus dem Boden der Gesellschaft, wenn sie nicht etwa zur Spindel greifen wollen; den Rosen, den müßigen Nachtigallbräuten, geht es nicht besser; die Nachtigallen, die unnützen Sänger, werden fortgejagt, und ach! mein ›Buch der Lieder‹ wird der Krautkrämer zu Tüten verwenden, um Kaffee oder Schnupftabak darin zu schütten für die alten Weiber der Zukunft. Ach! das sehe ich alles voraus, und eine unsägliche Betrübnis ergreift mich, wenn ich an den Untergang denke, womit das siegreiche Proletariat meine Gedichte bedroht, die mit der ganzen alten romantischen Weltordnung vergehen werden. Und dennoch, ich gestehe es freimütig, übt eben dieser Kommunismus, so feindlich er allen meinen Interessen und Neigungen ist, auf mein Gemüt einen Zauber, dessen ich mich nicht erwehren kann . . .«

Ohne jede Frage? Nein, es bleiben wohl einige Fragen offen. Dieses Préface stammt aus dem Jahre 1855! Seit jener Begegnung mit dem Babouvismus sind viele Jahre vergangen; in diese Zeit fällt, Mitte der 40er Jahre, ebenfalls die Begegnung mit Marx. Auch Marx hatte ja bei seiner Ankunft in Paris 1843 »die Erinnerungen und Methoden der Neo-Babouvisten der 30er Jahre« angetroffen, »auch und gerade bei den Führern der Pariser Geheimgesellschaften«. Eben das ist im Kommunistischen Manifest gemeint, wenn es dort heißt: »Die revolutionäre Literatur, welche die ersten Bewegungen des Proletariats begleitete, ist dem Inhalt nach notwendig reaktionär. Sie lehrt einen allgemeinen Asketismus und eine rohe Gleichmacherei.«

Marx war längst über diesen historischen Abschnitt einer bestimmten Ideologie und politischen Entwicklung hinaus. Heine wußte das – und blieb bei seinem Verdikt, »das Schrecknis bei seinem rechten Namen zu nennen, die Kommunisten«. Das ist nicht nur Repetition der einstigen Abwehr des Rigorismus eines Babeuf. Es ist offenbar das Beibehalten dieser Abwehr – auch gegen den Marxschen Kommunismus. Man findet in vielerlei Arbeiten marxistischer Literaturwissenschaftler immer diesen Absatz aus Heines »Geständnissen« zitiert:

»Die mehr oder minder geheimen Führer der deutschen Kommunisten sind große Logiker, von denen die stärksten aus der Hegelschen Schule hervorgegangen, und sie sind ohne Zweifel die fähigsten Köpfe und die energievollsten Charaktere Deutschlands. Diese Doktoren der Revolution und ihre mitleidslos entschlossenen Jünger sind die einzigen Männer in Deutschland, denen Leben innewohnt, und ihnen gehört die Zukunft.«

Was man aber nicht findet, ist die Erstfassung dieses Textes, wie er am 15. November 1854 in der Pariser *Revue des deux Mondes* erschien; da stehen in der letzten Zeile, zwischen den Worten »und ihnen« und »gehört die

Zukunft« drei Worte: je le crains – fürchte ich. Das aber muß man mitlesen, auch in der verkürzten Version der deutschen Ausgabe. Es ist dieselbe Zeit, aus der Heines Wort über Marx, den »höchst geistvollen, aber schroffen Menschen voller Diktatorgelüste« stammt, »indes ist der Mensch bei alledem wenig, wenn er nichts als ein Scheermesser ist«. »Ihnen gehört die Zukunft« war Heines Vorstellung des Laufs der Geschichte. Sein Wunsch war es nicht.

Heines politische Reserve war immer auch eine menschliche. In dieselbe Zeit, Mitte der 40er Jahre, fällt seine erbitterte Auseinandersetzung erst mit dem Onkel Salomon, dann – nach dessen Tod am 23. Dezember 1844 – mit dessen Haupterben, seinem Cousin Carl Heine. Mit dem enttäuschend geringen Erbe, das ihm im Testament ausgesetzt war – 8 000,– Mark –, wollte er sich nicht zufriedengeben; vor allem aber ging der Streit um die nicht schriftlich fixierte Jahrespension. Heine fand sich nicht nur um ein von ihm als rechtmäßig angesehenes Erbe betrogen, sondern er empfand noch einmal, schärfer und beißender denn je, jene Kränkung: abgewiesen und ausgestoßen; er gestand seinem Bruder Gustav: » . . . daß die verletzten Geldinteressen, um die es sich zu handeln schien, nicht die Hauptsache waren, und daß mein Ärger weit tiefere und ältere Wunden zum Grunde hatte . . .«. Rachsüchtig, erbost und um seine Existenz besorgt, drohte er nicht nur erpresserisch mit allerlei Schmähveröffentlichungen über seine Familie, sondern schaltete allerlei Freunde und »Zeugen« der Zusagen von Onkel Salomon ein – Varnhagen v. Ense, Meyerbeer und Lassalle. Und damit hat dieses auf den ersten Blick nur biographische Detail seine politische Dimension; denn die Legende wuchert auch hier – von der Freundschaft zwischen Heine und Lassalle, von dringlicher Empfehlung des jungen Anwalts und Heines Begeisterung über diesen Vertreter des »neuen Menschen«. Das Gegenteil ist richtig.

Schon 1848 äußerte sich Heine empört einem befreundeten Arzt gegenüber:

»›Denken Sie sich, einer seiner Verwandten hatte die Unverschämtheit, mir zu sagen, ich hätte ihn nach Berlin empfohlen, weil in ihm der neue Erlöser erschienen sei. *Wehe über die Erlösten*!‹«

Was war tatsächlich vorgefallen?

Heine hatte in Lassalle anfänglich einen Helfer in seinem Erbschaftsstreit gesehen. Lassalles Temperament hatte ihn fortgerissen, zu Schärfen und Überspitzungen verleitet, die Heine sehr bald bereute und durch Briefe und andere Vermittlungen rückgängig zu machen suchte. Statt auf Varnhagens eher sanfte Kompromißratschläge zu hören, hatte er sich von Lassalle »umstricken lassen ... seine Rachsucht gleichsam eingesogen und einer augenblicklichen Erbitterung sich in blinder Rachsucht überlassen«, was er rasch bedauerte.

Allerdings hatte Heine wirklich einen Brief über Lassalle nach Berlin geschickt, 1846, an Freund Varnhagen. Unverständlicherweise rühmte sich Lassalle dieses Briefes und erzählte zu Heines Wut allenthalben von dieser »Empfehlung«. Es ist »eine alte Geschichte«, doch sie ist offenbar immer wieder neu – man nimmt bestimmte Worte und Floskeln in irgendeinem Heine-Text für bare Münze, übersieht dabei geflissentlich, daß eben diese Münze eine Kehrseite hat; daß man Heines gelegentlich zweideutige, gelegentlich süffisante, gelegentlich leise und weise sich herausfädelnde Diktion gleichsam im Kontext seiner gesamten Schreibmanier begreifen muß. So lautet der Brief:

»Mein Freund, Herr Lassalle, der Ihnen diesen Brief bringt, ist ein junger Mann von den ausgezeichnetsten Geistesgaben: mit der gründlichsten Gelehrsamkeit, mit dem weitesten Wissen, mit dem größten Scharfsinn, der mir je vorgekommen; mit der reichsten Begabniß der Darstellung verbindet er eine Energie des Willens und eine Habilité im Handeln, die mich in Erstaunen setzen, und wenn seine Sympathie für mich nicht erlöscht, so erwarte ich von ihm den thätigsten Vorschub. Jedenfalls war diese Vereinigung von Wissen und Können, von Talent und Charakter für mich eine freudige Erscheinung und Sie bey Ihrer Vielseitigkeit im Anerkennen, werden gewiß ihr volle Gerechtigkeit widerfahren lassen. Herr Lassalle ist nun einmal so ein ausgeprägter Sohn der neuen Zeit, der nichts von jener Entsagung und Bescheidenheit wissen will, womit wir uns mehr oder minder heuchlerisch in unserer Zeit hindurchgelungert und hindurchgefaselt. – Dieses neue Geschlecht will genießen und sich geltend machen im Sichtbaren; wir, die Alten, beugten uns demüthig vor dem Unsichtbaren, haschten nach Schattenküssen und blauen Blumengerüchen, entsagten und flenn-

ten und waren doch vielleicht glücklicher, als jene harten Gladiatoren, die so stolz dem Kampftode entgegengehen.« Spürt man nicht den Schreck? Vorsicht? Melancholie sogar? Ist das eine »Empfehlung«? Rufen diese Zeilen nicht bereits: »Achtung«?
Heine hat es nie anders begriffen. Er hatte von Beginn an Furcht vor dieser Art »neuer Mensch«; er hat sehr bald das Ansinnen Lassalles, im Zuge des Hatzfeld-Prozesses eine Indiskretion für ihn zu begehen und ihm gewisse Informationen über des Grafen Hatzfeld Pariser Mätresse zu besorgen, mit kühler Indignation zurückgewiesen, indem er sich als wenig passend zu einem Auftrage erklärt, der eher in das Gebiet Suescher Romane als zu seinen »Begebnissen« gehöre; und er hat schließlich dringend davor gewarnt, hereinzufallen auf das Freundesgebaren eines Menschen, der in seiner raschen Entwicklung zum Schlechten »einer der furchtbarsten Bösewichter geworden, der alles fähig ist, Mord, Fälschung und Diebstahl und eine an Irrsinn grenzende Willenszähigkeit besitzt«. An Marx, der sich bei seiner Abreise aus Paris mit einem rührenden Brief verabschiedet – »von allem, was ich hier an Menschen zurücklasse, ist mir die Heine'sche Hinterlassenschaft am unangenehmsten. Ich möchte Sie gern mit einpacken« –, hat Heine nie mehr geschrieben; der einzige Brief datiert von 1844, danach kamen nur noch Mitteilungen seines Sekretärs – » . . . wußte Ihnen im Moment nichts mittheilen zu lassen, als ›daß er zufällig noch lebe‹«. Korrespondenz zwischen Heine und Lassalle gibt es keine mehr.

Heines Leben in Paris und auch seine politischen Interessen, liefen in anderen Bahnen. Der Streit, ob die Gedankengänge im Caput I des »Wintermärchens« – dessen Originalmanuskript Heine Marx geschenkt hatte – saint-simonistisch oder kommunistisch seien, ist nicht »müßig«. Die freundliche Fama – von Heine genährt – will es so, daß Heinrich Heine vom Läuten der französischen Freiheitsglocken im Juli 1830 aufgeweckt wurde, daß beim Übersetzen zum Dünenstrand von Helgoland ein Revoluzzer-Fischer nach dem Sieg von Lafayettes Nationalgarde ausgerufen habe: »Die armen Leute haben gesiegt« – und daß Heine darauf ins revolutionäre Paris geeilt sei, die Freiheit zu befestigen und zu besingen. Die Wahrheit ist anders.

Schon 1823 hatte Heine geplant, seinen Wohnsitz nach Paris zu verlegen, »viele Jahre dort zu bleiben«, um für die Verbreitung der deutschen Literatur, »die jetzt in Frankreich Wurzel faßt, thätig zu sein«.

Drei Jahre später, im Herbst 1826, hat er den »wieder gefaßten Plan«, Deutschland auf immer zu verlassen, und spricht in vertraulichen Briefen – »von diesem Plan darf niemand etwas wissen« – davon, in Paris ein europäisches Buch zu schreiben. Es ist Heines Kampf um eine Existenz – eine als international wahrgenommener Schriftsteller; und eine »bürgerliche«.

Einen Tag nach der Proklamation des Herzogs von Orléans als Louis-Philippe I., König von Frankreich, eine Woche also nach Karls X. Abdankung, sagt Heine: »Ich weiß jetzt wieder, was ich will, was ich soll, was ich muß ... ich bin der Sohn der Revolution.« Allein – dieser Satz stammt aus dem viel später geschriebenen Börne-Buch, wird dort als »Tagebucheintragung« vom 10. August 1830 ausgegeben.

Vorerst aber reist Heine keineswegs nach Paris, sondern nach Hamburg, wo er sich mit Chamisso trifft, und nach Berlin, wo er Rahel Varnhagen besucht. Zurück in Hamburg, beschäftigt er sich ausschließlich mit literarischen Plänen, arbeitet an den »Reisebildern«, an der »Einleitung zu Kahldorf über den Adel«, und korrespondiert mit seinen Freunden, die positive Rezensionen schreiben sollen. Von Varnhagen aus Berlin erhält er die Nachricht, es sei kaum Aussicht auf eine Staatsstellung in Preußen. Daraufhin versucht Heine eine Versöhnung mit dem reichen Onkel und – bemüht sich in Hamburg um eine Stelle als Ratssyndikus. Das Jahr 1830 ist vorüber.

Im Januar 1831 ist die Aussöhnung mit Salomon Heine gelungen, und Heine schreibt an Varnhagen: » ... mein Streben geht dahin, mir à tout prix eine sichere Stellung zu erwerben ... Gelingt es mir binnen kurzem nicht in Deutschland, so reise ich nach Paris, wo ich leider eine Rolle spielen müßte, wobei all mein künstlerisch poetisches Vermögen zugrunde ginge und wo der Bruch mit den heimischen Machthabern konsommiert würde.« Im selben Monat wird er als Bewerber für die Position des Ratssyndikus abgelehnt, im selben Monat noch wird mit Börne der Plan einer gemeinsamen Zeitschrift erörtert. Im März kommt es zu einem neuen, schweren Zerwürfnis mit dem Onkel. Am 1. April geht ein Brief an Varnhagen in

Berlin: » . . . ich packe meinen Koffer und reise nach Paris um . . . ganz den heiligen Gefühlen meiner neuen Religion mich hinzugeben.« Am 19. Mai 1831 trifft Heine in Paris ein; fast ein Jahr nach der Revolution. Was ist die »neue Religion?«

Sie hieß Saint-Simonismus, und sie bot beides: politisches Utopia und irdische Voluptas. Heines erleichterter Aufschrei:

»Fragt Sie jemand wie ich mich hier befinde, so sagen Sie: wie ein Fisch im Wasser. Oder vielmehr, sagen Sie den Leuten; daß, wenn im Meere ein Fisch den anderen nach seinem Befinden fragt, so antworte dieser: ich befinde mich wie Heine in Paris«

– dieser Erleichterungsruf hat sein Gegenstück in einer langen Erinnerung an die erste Zeit in Paris, die er Jahre später Eduard von Fichte mitteilte; da ist die Rede von der ersten Begegnung mit dem Saint-Simonismus, und wie der ihn von hohlen, unpraktischen Träumen geheilt habe, von deutsch-demokratischen Ideen und von der raschen Verfolgung und Verleumdung durch Demagogen und Demokraten, weil er ihnen keineswegs durch dick und dünn folgen mochte. Schon knapp nach der Ankunft – die als erste bereits *Le Globe*, das saint-simonistische Organ, am 21. Mai 1831 vermerkte – nennt Heine den »Republikanismus der Tribünenleute fatal . . . ich sehe schon die Zeit herannahen, wo sie mich als Vertheidiger der Instituzion des Königsthums noch bitterer befehden werden als Andre«. In der Tat sprechen sämtliche Zeitgenossen davon, daß Heine von den republikanischen Deutschen in

Paris gemieden würde und man gar nicht wisse, was er eigentlich tue, »in politische Umtriebe mischt er sich nicht«. Heine selber sagt »von der Politik stehe ich jetzt ferne. Ich werde von den Demagogen gehaßt.« Die »Rolle«, die er zu spielen vorhatte, war offensichtlich eine andere. Seine erste Reaktion auf Paris ist vergleichbar wiederum der jenes »Nachfahren« aus dem 20. Jahrhundert, dessen erstes Gedicht nach Ankunft in Paris 1924 auch wie ein Erlösungsschrei wirkte:

> »Hier bin ich Mensch – und nicht nur Zivilist
> ...
> und ruh' von meinem Vaterlande aus.«

Die Persönlichkeit Heines hatte immediaten Erfolg in Paris. Schon eine Woche nach seiner Ankunft schreibt er: »Sie glauben nicht, wie man mich hier verehrt! Als ich Mittags nach Hause kam, fand ich meinen Tisch ganz mit Visitenkarten bedeckt.«
Wenig später ist von der »kolossalen Reputazion« die Rede. Das sind nicht nur Erfindungen von Heines sprichwörtlicher Eitelkeit – »je veux être peint en beau comme les jolies femmes«; Heine war sehr rasch aufgenommen unter den französischen Literaten – noch bevor sie sein Werk kannten (die erste Übersetzung, eine gekürzte Fassung der »Harzreise«, erschien in der *Revue des deux Mondes* am 15. Juni 1832). George Sand, aus deren Boudoir er Lamennais vertrieb, und in deren Gunst er Nachfolger Alfred de Mussets und Vorgänger Chopins

war, nannte ihn ihren Cousin; mit Balzac machte er endlose Spaziergänge durch die Tuilerien, und Sainte-Beuve nannte ihn einen »esprit charmant, parfois divin et souvent diabolique«; er ging zum Déjeuner oder ins Theater mit Alfred de Vigny und Eugène Sue; Dumas hatte einen Wutausbruch, als man in deutschen Zeitungen seinen Freund wieder einmal wegen seines »undeutschen« Lebensstils, seiner Sorglosigkeit in Gelddingen und seiner eleganten Wohnung attackiert hatte:
»›Ça prouve que vos hommes de lettre sont encore plus misérables que votre presse. Si l'Allemagne ne veut pas de Heine, nous l'adoptons volontiers, mais malheureusement Heine aime plus l'Allemagne qu'elle ne mérite!‹«
Heine verkehrte mit Gautier und Hugo, er wurde ganz mühelos von den Franzosen als einer der ihren akzeptiert – bis heute; es gibt keinen deutschen Schriftsteller, dessen Popularität und Beliebtheit in Frankreich der Heines gliche. Hans Mayer, der Heine einen »seltsamen Mann zwischen Romantik und kommender Revolution« nannte, hat in einem Aufsatz auf das »Voraussetzungslose« von Heines literarischem Œuvre hingewiesen; »Romantik als Requisit, nicht als Substanz« – das war eine Literatur, die verhältnismäßig mühelos adaptierbar war, weder philosophisches noch literarisches Traditionsbewußtsein, gar Kenntnisse voraussetzte. Die seltsame Zeitlosigkeit, ja Modernität der Heine-Texte hängt damit zusammen. Ein anderes Indiz dafür ist, wie wenig sich Heines Lieder je sperrig zeigten gegen die Übernahme nun nicht in einen anderen Kulturkreis, sondern ein anderes Medium. Der

langen Reihe verschiedenwertiger Heine-Vertonungen – von Schubert und Schumann, Mendelssohn und Hugo Wolf – folgte in diesen Tagen eine besonders verräterische: Katja Ebstein singt Schlagervertonungen von Heine-Liedern; ohne eine Spur von Gewaltanwendung paßt sich Schnulzenklang und Jazzbesengewisper dem Geraune des Textes an, mal süßlich für die Dämmer-Bar, mal härter als melodischer Protestsong – zwischen Hildegard Knef, Gisela May und Joan Baez. Alles geht.

»Er brauchte nur etwas weniger Witz, um ganz Franzose zu sein«, sagte Sainte-Beuve. Es gab auch schärfer-kritische Stimmen, selbst George Sand lehnte seine »monomanie du calembour« ab, sein Witzig-sein-Wollen um jeden Preis, das angestrengte Durchhalten der Rolle des »geistreichen Deutschen«, voller Skandälchen, Klatsch, bissiger Aphorismen und Pointen, wie etwa die: Als er Louis Blanc kurz nach der Veröffentlichung von dessen »Organisation du travail« auf dem Bahnhof traf, sagte er trocken: »Je vous félicite, Monsieur, de tout mon cœur, d'être devenu maintenant l'homme le plus guillotinable de France.« Barbey d'Aurevilly sagte schneidend:

»Zwanzig Jahre lang haben wir das peinliche Schauspiel gesehen, wie er auf dem verrosteten Schlüssel Voltaires pfiff, ein literarischer Jakobiner, der nicht den Mut besaß, ein politischer Jakobiner zu werden.«

Auch das Urteil Alfred de Vignys ist kaum weniger schroff:

»Er gefällt mir nicht. – Ich finde ihn kalt und böse. Er ist einer der Ausländer, die den Ruhm in ihrem eigenen Land

verpaßt haben und nun in einem anderen daran glauben machen wollen.«
Doch die meisten behandelten ihn wie einen Pair, und Heine besuchte in elegantester Garderobe die Pariser Salons, schlenderte die Boulevards und Passagen entlang und genoß eine Gesellschaft, wie sie Deutschlands provinzielle Städte nicht hatten bieten können.
Erstaunlich ist dieser persönliche, vorerst gar nicht literarische Erfolg auch deshalb, weil Heine offenbar nicht sehr gut französisch sprach. Nur wenn er sehr ausgeruht und ohne sein fast ständiges Kopfweh war, gelang ihm eine mühelose Konversation. Zwar hat er auch das, den deutschen Akzent und eine germanische Ungelenkigkeit, augenscheinlich stilisiert – so wenn er die barocke Redeweise des Barons von Nucingen aus der »Comédie Humaine« nachahmte –, also Balzacs Porträt des Barons von Rothschild; oder wenn er, als Trauzeuge vom Standesbeamten zur Schreibweise seines Namens befragt, antwortete »Avec une hache« – mit einem Beil. Doch viele Zeitgenossen berichten von den Schwierigkeiten, die Heine in der französischen Konversation hatte, und er hat auch selber über seine »Unkenntnis der französischen Sprachgewohnheiten« geklagt. Obwohl er gelegentlich den Eindruck zu erwecken suchte, er schriebe französisch oder übersetze seine Texte selber, wurden sie – auf seine Kosten – alle übersetzt. Einer der treuesten Übersetzer war Gérard de Nerval – auch einer der treuesten Freunde; denn nicht sehr lange währte die Geselligkeit, er sah bald all diese Freunde seltener und seltener, schließlich blieb es

bei sehr gelegentlichen Begegnungen. Die Jahre in der Matratzengruft war Heinrich Heine ein einsamer, fast vergessener Mann, den viele schon gestorben wähnten. Längst lebte George Sand mit Chopin im akazienbeschatteten Cour d'Orléans, aber die »Emancipatrice« – wie Heine sie nun spöttisch-traurig nannte – ließ sich nicht mehr blicken. Wie aus Trotz verbarg Heine seine Adresse, kein Buchhändler, keine Botschaft, kein Adreßbuch wußte sie. Als aus dem alten Kreise ganz überraschend Hector Berlioz doch einmal auftauchte, rettete Heine sich in die Abwehr des Bonmots: »Berlioz ist doch immer originell«, sagte er hinterher.

Der Einzug in Paris war höher gestimmt gewesen. Jener »neuen Religion« wollte Heine sich nicht nur hingeben, sondern – wie er im selben Brief an Varnhagen geschrieben hatte – wollte »vielleicht als Priester derselben die letzten Weihen empfangen«. Noch in Hamburg hatte er die soeben erschienene »Exposition de la Doctrine Saint-Simonienne« gelesen und einen Auszug dieses seines »neuen Evangeliums« Hartwig Hesse geschickt, von dem er »schleunigste Hülfeleistung« erbat und offenbar auch erhielt; der reiche Hamburger Makler scheint den Umzug nach Paris finanziert zu haben; der mitgesandte Text war auch überdeutlich – nämlich Saint-Simons Verteidigung der Bettelei, die man auch mit religiösem Stolz betreiben könne. Jedenfalls erklärte Heine Jahre später, noch keine vierundzwanzig Stunden in Paris gewesen zu sein, »als ich schon mitten unter den Saint-Simonisten saß«. Und der in vielen Variationen immer wiederkehrende Satz, er habe keinen Teil genommen an der »hiesigen deutschen Assoziation«, ist durchaus damit in Zusammenhang zu sehen: Heine wollte sich »aus der politischen Schriftstellerei herausziehen«, wollte weder mit Revolutionären noch mit Demokraten noch mit Demagogen Umgang haben. Die so nebulose wie romantische neue Kirche in ihrer sonderbaren Mischung aus Veränderungscredo und Ritardando, aus Sinnlichkeit und Askese hatte es Heine angetan; ein utopischer Sozialismus.

Der Graf Saint-Simon war 1825 gestorben. Im Vordergrund seiner Lehre stand der Begriff der »Produzenten« und deren Gleichwertigkeit – ob Arbeiter, Bauern oder Bankiers; Adel oder Beamtenschaft war nichtproduzierend. Eine Elite der »Tätigen«, was Heines Idee von Hierarchien eh und je entsprach. Nichts war hier zu spüren von der Heine verhaßten Gleichheitsraserei. Was Heine evident faszinierte, war ein neuer Elitebegriff, ganz adäquat seinem geistigen Aristokratismus. Das geht so weit, daß er zu eben dieser Zeit den von ihm zeitlebens verehrten Napoleon einen saint-simonistischen Kaiser nennt, der nicht nur selber dank geistiger Superiorität »zur Obergewalt befugt war«, sondern, statt etwa den Mittelstand zu fördern, auch Männern Aufstiegschancen bot, deren Vermögen in Herz und Hand bestand; Heines Lieblingsmodell war die napoleonische Armee, weil deren hierarchische Ehrenstufen nur »durch Eigenwert und Fähigkeit« erklommen werden konnten. Und es gab im saint-simonistischen Konzept auch eine geistige Rangfolge, in der die »wirklichen Künstler, die stark inspirierten

Männer« hoch oben rangierten; bezeichnenderweise werden ihnen, in denen Opponenten der bürgerlichen Gesellschaft gesehen werden, besonders empfindliche Seelen zugesprochen und als einzig mögliche dichterische Form akzeptiert – Satire und Elegie. Saint-Simon hatte mit Comte gemeinsam einen »Catéchisme des Industriels« herausgegeben, in dem er für diese »ernährende Klasse« den ersten Platz in der Gesellschaft forderte. Dieses Konzept der führenden Technokraten hatte ungeheuren Einfluß auf die kapitalistische Bourgeoisie des Orléans-Regimes und gab eine besondere moral-politische Rechtfertigung des berühmten »enrichissez-vous«.

Als Heine in Paris eintraf, war der Saint-Simonismus, getragen von einer Gruppe exzellenter Köpfe, eine mächtige Bewegung. Was Geld und Geist hatte, strömte in die Salle Taitbout, ein riesiges amphitheatralisches Gebäude von drei Stockwerken unter einem Glasdach, wo berühmte Opernsängerinnen neben Ärzten, Ingenieuren oder Rechtsanwälten den Sonntagsvorlesungen zuhörten; Heine und Franz Liszt saßen dabei. Philosophie oder politische Ökonomie waren die beliebtesten Themen. Prosper Enfantin, einer der wichtigsten Führer, entwarf sein Bild vom Gottmenschen, seine Ansprachen glichen Predigten; Michel Chevallier, der vor allem glänzende volkswirtschaftliche Vorträge hielt, verhieß eine Zukunft allumfassender Harmonie:

»Die Menschheit wird dann nur eine Familie von unzähligen Kindern bilden. Alle Rassen, alle Menschen werden verbunden und gesellig vereinigt sein; und dann wird das

Leben der Welt, harmonierend mit Deinem Leben, es zu entwickeln und zu verschönern dienen.«
Louis Philippe wurde aufgefordert, Bazard und Enfantin an seine Stelle zu setzen.
Das Gebäude war mit farbigen Schärpen drapiert, die Bänke waren rot gepolstert, die jungen Männer hatten blaue Anzüge an und die jungen Damen weiße Kleider mit violetten Drapierungen. Wenn die »Päpste«, Bazard und Enfantin, den Saal betraten, erhob man sich ehrfürchtig. Die Anhänger zählten nach Tausenden, in den 12 Vierteln der Stadt bildeten sich saint-simonistische Schulen, in Toulouse, Montpellier, Lyon, Metz und Dijon wurden Gruppen gebildet, und in der Rue Montigny Nr. 6 wurde gleichsam als Modell eine theokratisch-industrielle Familie gegründet mit gemeinschaftlichem Haushalt und geteilten Kosten. Eine »Kommune«. Dort gab es auch jeden Donnerstag eine Abendgesellschaft für den kleinsten Kreis Erlesener. Heine war dazu regelmäßig geladen. Man diskutierte nächtelang, empfindsamere Besucher fielen auch gelegentlich in Ohnmacht. Der Père Suprême, Prosper Enfantin, gab Bälle und Soireen, und Chevallier, zugleich Redakteur des *Globe* – den auch Goethe las –, druckte die Programme und Erklärungen des neuen religiös verbrämten sozialen Fortschritts. Enfantins Lieblingsthema war die Emanzipation des Weibes, anfangs nur im engsten Zirkel des Collège erörtert und allenfalls in der Forderung gipfelnd, die Frau müsse im Leben der Gesellschaft denselben Platz wie der Mann einnehmen dürfen. Diese Frage führte schließlich zum Verfall: Als

Enfantin eine zwar vage, aber doch als »Reglementation des Ehebruchs« aufgefaßte Philosophie der Männer- und Weibergemeinschaft proklamierte, traten die meisten Anhänger aus. So rapide die Bewegung an Geltung und Geld verlor, so rasch wurde sie immer bigotter. Im Februar 1832 zog sich Enfantin mit 42 verbliebenen Getreuen auf sein ererbtes Gut bei Menilmontant zurück, wo er einen ebenso barocken wie nahezu mönchischen Haushalt organisierte. Ärzte, Dichter, Offiziere und Musiker kochten, fegten oder bestellten das Land. Das Zölibat war Gesetz. Kleidung, Haar- und Barttracht waren auf skurrile Weise vorgeschrieben – die Weste etwa war so geschnitten, daß sie die Gemeinschaft symbolisierte: nur mit Hilfe eines Bruders war sie anlegbar. Enfantin hatte sich prunkvolle Titel zugelegt: »Je ne suis pas même un prêtre, je suis le Père de l'Humanité – homme le plus moral de son temps, le vrai successeur de Saint-Simon, le Chef Suprême de la Réligion Saint-Simonienne.« Heine nannte Michel Chevallier seinen »sehr lieben Freund, einen der edelsten Menschen, die ich kenne« und widmete noch 1835 sein Sammelwerk »De l'Allemagne« Prosper Enfantin.

Inzwischen allerdings waren die Hohenpriester, Priester und Unterpriester in alle Länder verstreut. Enfantin hatte sich knapp der Exaltation einer Vergöttlichung entziehen können. Als ihn einer seiner hochekstatischen Anhänger, Gustave d'Eichthal, morgens um halb sieben beschworen hatte: »Du bist etwas anderes als der Stellvertreter des heiligen Paulus, mehr als ein Apostel, mehr als ein Papst.

Tu es la future moitié du Couple Révélateur, et Jesus vit en Toi«, habe er nur gesagt: »Eh bien, laisse-moi dormir encore une heure«, und schließlich, beim Strümpfeanziehen, den frühen Besucher beschieden: »Homo sum«.
Das war im März 1832. Im August wurden er und mehrere Anführer, u. a. Chevallier, wegen unerlaubter Verbindung, Aufreizung der Arbeiter und Verbreitung sittlich-anstößiger Lehren verhaftet und zu mehrjähriger Gefängnisstrafe verurteilt. Nach wenigen Monaten ist Enfantin entlassen worden, ging als Ingenieur mit einigen Getreuen nach Ägypten zu den Nildämmen des Paschas und war später in Frankreich bei der Verwaltung der Nordbahn angestellt. Chevallier war im Regierungsauftrag in Nordamerika tätig, dann ebenfalls im französischen Eisenbahnwesen. Weder seinen späteren publizistischen Versuchen noch dem einer Zeitungsgründung Enfantins, beides zur Wiederbelebung saint-simonistischer Ideen geplant, war Erfolg beschieden. Vom Saint-Simonismus war ein Rüchlein verklärter Paradieses-Erwartung geblieben – und das goldene Zeitalter der Industrie.
Heinrich Heine hat sich später hinreichend über seine einstigen Vorbilder und Weggefährten mokiert; Heinrich Laube hat ein Gespräch aus dem Jahre 1839 festgehalten, das ihn wegen seiner Spottsucht tief verstörte:
»Er lachte und lachte, und erzählte nur witzige Ereignisse und komische Dinge, wodurch sie sich lächerlich und in Frankreich unmöglich gemacht hätten, natürlich bei ihm zuerst. ›Denke dir‹ – rief er – ›meine Mathilde hat sich beim Enfantin zum Mère-Examen melden wollen.

Das war ein Schreck! Ich hab' ihr auseinandergesetzt, daß zu diesem Examen Philosophie erforderlich wäre.‹ – ›Was ist das, Philosophie?‹ fragte sie. – ›Mögest du es nie erfahren‹, antwortete ich, ›denn das ist eine tödtlich schwere Wissenschaft.‹ – ›Ah!‹ – ›Ja. Und außerdem kriegt die Mère nur einen einzigen Anzug, sie darf die Kleidung nie wechseln, und dieser Eine Anzug ist auch noch sehr unvollständig, er bedeckt nicht viel. – Das hat gewirkt.‹ Ueber die Kleidung der St. Simonisten sprach der Spottvogel allerdings ausführlich. Weiße Hose, rothe Weste, blauviolette Tunique. Weiß die Farbe der Liebe, Roth die der Arbeit, Blauviolett die des Glaubens. Auf der Brust ein Schild mit dem Namen der würdigen Person, für die Höheren auch der Titel, also für Enfantin ›der Vater‹, für Duveyrier ›der Poet Gottes‹. ›Die Hauptsache war‹ – so schloß er sein Gespött – ›die Leute hatten keinen Geschmack; die Künste standen bei ihnen tief im Hintergrunde, wir Poeten wären in ihrem Staate untergegangen.‹ Aber die Emancipation des Fleisches und der Frau stimmte ja doch zu seinem Griechenthum, welches er immer predigte? Nein, bei aller Aehnlichkeit seiner Ideen war er doch für eine positive Einführung seiner Ideen nicht zu haben. ›Was sollt' ich denn alsdann noch schreiben?‹ rief er – ›worüber soll ich Witze machen, wovon Gedichte, wenn Alles da ist, was ich bisher gewünscht oder vermißt habe? Durch einen aus- und eingeführten St. Simonismus würde ich einfach pensionirt!‹«

In seiner 1855 verfaßten Vorrede des ersten Bandes von

»De l'Allemagne« ist Heine noch wesentlich rigoroser mit den Göttern der frühen Pariser Jahre ins Gericht gegangen. Er höhnt die brav im Orient verheirateten ehemaligen Zerbrecher ehelicher Ketten, die nun beharrliche Freier des Okzidents wurden, den Wohlstand der Neomillionäre und ihr Begnügen mit einem Zeitalter des Silbers, nachdem sie den Traum vom Goldenen Zeitalter verraten hatten. Eines zeigt dieser Text, fast eineinhalb Jahrzehnte nach dem Einzug in Paris geschrieben, jedenfalls in aller Deutlichkeit: der letzte Saint-Simonist hieß Heinrich Heine. Ob »Weberlied«, »Caput I« des »Wintermärchen« oder Préface zur »Lutetia« – es hätte alles im *Globe* stehen können.

»Was mich bis jetzt von einer näheren Bekanntschaft, nicht mit den Grundsätzen, sondern mit den Lehren der Simonisten, abgehalten, ist die monarchische Verfassung ihrer Kirche. Sie haben einen Papst; vor solchem kreuze ich mich, wie vor dem Satan. Sie haben eine Autorität; die fürchte ich noch mehr, als den Räuber im finstern Walde.« Der das schrieb, datiert »Paris, Freitag, den 30. Dezember 1831«, war ebenfalls Emigrant, Jude, deutscher Schriftsteller. Er hieß Löb Baruch und nannte sich Ludwig Börne. Der Streit mit ihm ist eines der kompliziertesten psychologischen wie politisch-moralischen Probleme im Leben Heinrich Heines. Bewunderung und Neid, Hochmut und Unterlegenheitsgefühl, anfänglich Liebe und später Haß mischen sich zu einem Kaleidoskop der widersprüchlichsten Splitter. Und trotzdem – oder: gerade deswegen – bietet es den schärfsten Einblick in die Person Heinrich Heine.

Angeblich hat er den um etwa ein Jahrzehnt Älteren schon 1815 das erste Mal bei seinem Aufenthalt in Frankfurt gesehen, im Lesesaal einer Freimaurerloge, die er mit seinem Vater besuchte. Die erste Begegnung aber datiert von 1827, über die Heine beglückt berichtet, sie seien drei Tage lang inseparabel gewesen, er habe gar nicht gewußt, daß Börne so viel von ihm halte. Noch ein halbes Jahr später sagt er: »Börne hat mich sehr lieb.« Das war vor der »neuen Religion«, vor Paris – wo Börne schon seit 1830 lebte. Das allererste Zusammentreffen dort, ein Jahr später, zeigte bereits tiefgreifenden Dissens. Heine entwickelte seine Ideologie der Sinnlichkeit, war Künstler, Lebensgenießer und Verkünder eines Paradieses des Sensualismus. Börne hatte ein Konzept der republikanischen Parteilichkeit, war deren Propagandist, ein ingrimmiger Purist und Gegner irgendeines Paradieses (»muß ich selig sein im Paradiese, dann will ich lieber in der Hölle leiden«). Heine war Dichter – Börne Publizist. Ein Flaneur – und ein Eiferer, ein Sänger – und ein Mann der Tat: Während Heine tagelang im dolce-far-niente umherschlendert und auf schöne Lieder sinnt, geht Börne auf den Montmartre, um zu deutschen Schmieden und Schuhmachern zu sprechen. Heine spaziert durch die Passage des Panoramas, um zu sehen, ob eines der Mädchen, die er kennt, ein neues Kleid anhat; »Mädchen« sagte er übrigens nicht. Börne hält Reden vor deutschen Handwerkern in der Passage du Saumon. Heine liebt die Literatur und verzeiht auch dem beargwöhnten Goethe: » . . . Ich, Ich gegen Göthe schreiben! Wenn die Sterne am Himmel mir feindlich werden, darf ich sie deßhalb schon für bloße Irrlichter erklären?« Börne liebt die Politik und beurteilt die Literatur nur nach politischen Bekenntnissen: »Hätte Deutschland . . . nur zwei Dichter, nur Kotzebue und Goethe – tausendmal lieber labte ich meinen Durst mit Kotzebues warmer Tränensuppe . . . als mit Goethes gefrorenem Wein.« Über Heine hieß es 1846 im vorzeitigen Nekrolog Heinrich Laubes:

» . . . Politik war ihm nur ein Thema wie irgend ein anderes. Er war eine Künstlernatur, die unter anderem auch den Tribun spielte, und die politische Welt sagte entrüstet: Du sollst nicht bloß spielen, du sollst sein, was du vorstellst, und du sollst nicht unter anderem Tribun sein, du sollst nur Tribun sein! Das hätte er gar nicht gekonnt, auch wenn er gewollt hätte.«

Über Börne sagt eben dieser Heine: »Er glich dem Kinde, welches, ohne den glühenden Sinn einer griechischen Statue zu ahnen, nur die marmornen Formen betastet und über Kälte klagt.« Heinrich Heine war ein Schriftsteller, und Ludwig Börne war ein Ehrenmann.

Hellene – Nazarener: Das ist die entscheidende Formel, die Heine selber dafür geprägt hat; sie ist der Schlüssel zum Verständnis nicht nur der Auseinandersetzung mit Börne, sondern für die Figur Heines in all ihren Widersprüchlichkeiten – von der viel strapazierten »Ironie« und »Gebrochenheit« seiner Verse bis zur gänzlich politischen Unzuverlässigkeit.

Im »Atta Troll« hat er dieselbe Alternative ähnlich benannt:

»Atta Troll, Tendenzbär; sittlich
Religiös; als Gatte brünstig;
Durch Verführtsein von dem Zeitgeist,
Waldursprünglich Sansculotte;

Sehr schlecht tanzend, doch Gesinnung
Tragend in der zott'gen Hochbrust;
Manchmal auch gestunken habend;
Kein Talent, doch ein Charakter.«

Kein Zufall, daß es ein Jahrhundert später ein Autor entsetzlich schlechter Verse – Karl Kraus – war, der sein Verdikt über Heine in dem Satz zusammenfaßte: »So war er: ein Talent, weil kein Charakter.« Und wiederum kein Zufall, daß es ein weiteres halbes Jahrhundert später der Schriftsteller Helmut Heißenbüttel war, der in seiner Absage an Adornos Urteil über Heines »Journalismus« – und damit an den Adorno-Vorfahren Kraus – auf das spezifisch Literarische, Artistische von Heines Lyrik hinwies. Heißenbüttels so knappe wie präzise Analyse des Phantasmagorischen in Heines Gedicht gibt eine wichtige Unterscheidung: Heines Texte sind nicht »typisch« – also philosophisch-ideologisch –, sondern »daguerreotypisch« – also realitätsbezogen; also sensualistisch; also »hellenisch«. Am poetischen Material und seiner Benutzung läßt sich die Position Heines exakt überprüfen. Seine Unzuverlässigkeit ist die Unzuverlässigkeit dieser Welt. Die

Heinesche Ironie-Haltung ist der artistische Ausdruck dafür; im 20. Jahrhundert heißt es »Mutmaßung«. Eine »Autopsychographie« Heines würde genau das ergeben. Und so heißt bezeichnenderweise das Gedicht eines 100 Jahre später Geborenen, der seinerseits zwei Vaterländer hatte und der hauptsächlich beeinflußt war von Heine und Nietzsche – des portugiesischen Dichters Fernando Pessoa:

»Der Poet verstellt sich, täuscht
so vollkommen, so gewagt,
daß er selbst den Schmerz vortäuscht,
der ihn wirklich plagt.«

Heine schüttelte es, wenn er die tabakrauchenden deutschen Eisbären in Börnes Salon der Rue de Provence traf, die gelegentlich vaterländische oder revolutionäre Donnerworte hervorfluchten. Und Börne wiederum verkündete bereits nach einer der ersten Begegnungen in Paris: »Heine gefällt mir *nicht.*« Er assoziiert die populäre Meyerbeer-Oper »Robert le Diable«, wenn er konstatiert: »Er ist wie Robert, er hat keine Seele.« Keinen Charakter, mit einem anderen Wort. Heines Eitelkeit, Unzuverlässigkeit, ausschweifendes Leben – das zieht sich als Klage wie Anklage durch sämtliche Briefe Börnes, lange bevor er öffentlich sich gegen ihn wandte:
»Wenn der Heine nur halb ein solcher Schuft ist, als er freiwillig bekennt, dann hat er schon fünf Galgen und zehn Orden verdient. Schon zwanzigmal gestand er mir,

und das ganz ohne Not, dem Argwohn zuvorkommend, er ließe sich gewinnen, bestechen. Und als ich ihm bemerkte, er würde aber dann seinen Wert als Schriftsteller verlieren, erwiderte er, keineswegs; denn er würde gegen seine Überzeugung ganz so gut schreiben als mit ihr. Und glauben Sie nicht, daß das Scherz sei: es beweist mir, daß Heine schon *ist*, was werden zu können er nicht leugnet. Daß er offen und freiwillig von seiner Verdorbenheit spricht, beweist nichts gegen den Ernst . . .«
Dieses Urteil, im Dezember 1831 in einem Brief an seine Geliebte geschrieben, konnte Heine gar nicht kennen; vorläufig verkehrte er noch mit Börne, man sah sich zum Déjeuner oder zum Abendessen, gelegentlich mit dem gefräßigen Franz Liszt, »der nie weniger als ein halb Pfund Fleisch im Mund hat«. Börne hatte ja von seinem Vater ein ansehnliches Vermögen ererbt und führte ein großzügiges Haus – auch nicht gerade ein Umstand, der Heine zum neidlosen Freund machte. Es ärgerte ihn um so mehr, als Börne in verräucherten Kneipen herumsaß und ihn dorthin mitnahm, wo zwischen Suppe und Fleisch regelmäßig schmutzige Listen von Tisch zu Tisch wanderten, in die man sich eintragen sollte – mal sollte ein Fürst entthront, mal Geld für irgendeinen politischen Zweck gesammelt werden. Heine haßte das – auch den gewissen Zwang, den die zur Solidarität drängenden Handwerker oder Proletarier ausübten, unverhohlen mit Repressalien drohend, wenn er sich entziehen wollte. Börne unterschrieb, was immer man vorlegte. Börne war ja auch mit jenem Demokraten gemeint, über den Heine spottete, er

habe geschworen, sich die Hände zu waschen, im Falle ihm ein König die Hand gedrückt; Heines Kommentar dazu ist bekannt: Er würde sie sich waschen, hätte das Volk sie ihm gedrückt. Heines Verzweiflung über die ewigen Petitionen und Adressen entlud sich schließlich in einem Wutausbruch, als wieder einmal – diesmal gegen das politische Gebaren des Papstes in der Romagna – signiert werden sollte: »Was geht mich der Papst an«, rief Heine so gelangweilt wie empört. Gelegentlich wurden auch mit Inschriften verzierte Dolche verteilt, zum Schrecken von Heine, der eilends eine Versammlung der »Amis du peuple« verließ, als sein Nachbar im Saal ihn fragte, ob er auch eine Waffe dabei habe, die Nationalgarde umstelle das Haus; »ich will sie holen«, sagte Heine, verschwand und fuhr zu einer Soirée ins Faubourg St. Germain.

Der Bruch war da – Börne begann Heine förmlich zu verfolgen. Während Heine sich mehr und mehr zurückzieht, ihm aus dem Wege geht, sucht Börne immer wieder Begegnungen herbeizuführen, ob in Restaurants oder Lesesälen; sogar eine gewisse ehrbare Verkniffenheit, Neid auf des Anderen Lebensweise und Lebenslust spielte eine Rolle.

Zugleich aber nennt er ihn einen verlorenen Menschen, verächtlich und voller Charakterschwäche. Er hat nun nicht nur von Anfang an gewußt, daß Heine »Aristokrat« werden würde, aus Furcht, Eitelkeit und Eigennutz, er wirft ihm auch jene Ambivalenz vor, die tatsächlich zum Wesen Heines gehörte:

»Es ist Heine ganz einerlei, ob er schreibt: Die Republik

ist die beste Staatsform, oder die Monarchie. Er wird immer nur Dasjenige wählen, was in dem Satze, den er eben schreiben will, einen besseren Tonfall macht.«
Das ist lediglich eine Paraphrase des vielzitierten Satzes »Wenn mir's der König von Preußen bezahlt, mache ich auch Gedichte für ihn« – den ebenfalls Börne berichtet hat. Die Kuriosität von Geschichte – Literaturgeschichte – will es, daß Heines abschließendes Urteil über sein eigenes Börne-Buch eben diesen logischen Duktus hat: »Aber ist's nicht schön ausgedrückt?« sagte er so naiv wie boshaft zu allen Vorhaltungen. Es ist das Buch, das er am Ende seines Lebens bereute, auch wenn er die Mischung aus Sittlichkeit und deutschem Magister, der bei Bier und Tabak zynisch und brutal sein kann, in Börne immer sah. Es ist das Buch, das Thomas Mann am meisten von allen Heineschen Schriften liebte, gar »anmutig« nennt – und seinen Autor gleichzeitig »menschlich nicht immer ganz zuverlässig«. Die Debatte über dieses Buch, von Gutzkows erbittertem Vorwurf, selbst der Titel »Heinrich Heine über Ludwig Börne« gäbe schon die Rangordnung der Überheblichkeit, bis zum berüchtigten Mörike-Verdikt, er könne wegen der Falschheit der Person keine halbe Stunde im selben Zimmer wie Heine atmen, füllte ihrerseits ein Buch; bemerkenswert aber in diesem Zusammenhang ist ein nahezu emphatisches Bekenntnis Franz Kafkas zur Heineschen Façon der Dichter-Existenz – ausgelöst eben durch jenen Mörike-Kommentar, der meist unkorrekt wiedergegeben wird. Denn im selben Absatz der von Theodor Storm berichteten Mörike-Erinnerun-

gen ist immerhin auch davon die Rede, daß der ein handschriftlich korrigiertes Heine-Gedicht wie eine Reliquie hervorsuchte. An eben diesen Satz schließt Kafka an, wenn er 1922 an Max Brod schreibt:
»Trotzdem sagt Mörike über Heine – und es ist, obwohl es hier wohl nur Wiedergabe einer landläufigen Ansicht ist, zumindest von einer Seite her eine blendende und noch immer geheimnisvolle Zusammenfassung dessen, was ich vom Schriftsteller denke und auch was ich denke, ist in einem anderen Sinn landläufige Ansicht: ›Er ist ein Dichter ganz und gar‹ sagte Mörike ›aber nit eine Viertelstund' könnt' ich mit ihm leben, wegen der Lüge seines ganzen Wesens.‹ Den Talmudkommentar dazu her!«
Hier, in dieser »geheimnisvollen Zusammenfassung« dessen, was ein Dichter ist, liegt der innerste Kern der Auseinandersetzung Heine – Börne. Heine selber hat mit verursacht, daß man so oft den Grund in Emigranten-Querelen und Eifersüchteleien sah, weil er davon sprach, daß »Klatschereien und Hetzereien von Flüchtlingen« ihn mit Börne auseinandergebracht hätten; auch sein spöttischer Neid über die mehrbändige Börne-Ausgabe beim gemeinsamen Verleger Campe ist überliefert:
»›Der Börne kostet Ihnen zu Viel‹ sagte Heine eines Tages im Campe'schen Buchladen, ›und er will immer noch nicht ziehen.‹ – ›Aber Börne wird ziehen, wenn Sie lange vergessen sind‹, gab Campe zurück. – ›Schade nur‹, spottete Heine, ›daß so lange darauf gewartet werden muß!‹«

Doch der 1930 vom Heine-Forscher Ernst Elster veröffentlichte älteste Entwurf zum Börne-Buch, zu Lebzeiten Heines nicht publiziert und offenbar bereits 1837, also eventuell noch zu Lebzeiten Börnes entstanden, zeigt ganz andere, wesentlichere Positionen. Heine spricht in diesem Fragment von der in ihm angelegten Möglichkeit, morgen das zu lieben, was ihm gestern verhaßt war und dasjenige zu hassen, dem er jetzt mit aller Liebe seiner Seele anhänge. Deswegen kann ein Spitzelbericht an die österreichische Regierung über den radikalen Schriftsteller Heinrich Heine berichten, »Heine habe mit allen diesen Menschen nichts gemein«, halte sich gänzlich an die französischen Literaten und nenne Börne und die bei ihm verkehrenden deutschen Revolutionäre »Falstaff und seine Bande«. Ein anderer Geheimbericht von Paris nach Wien ist noch expliziter.

Am 25. Februar 1833 war Börnes »108. Brief aus Paris« erschienen. Es war dies ohnehin eine journalistische Unternehmung, die Heine immer als Konkurrenz zu seinen »Französischen Zuständen« ansah. Börne wußte das, »er fürchtet meine Konkurrenz«, schreibt er schon im Herbst 1831 an Jeanette Wohl. Dennoch – oder deswegen? – schreibt er diesen 20 Seiten langen »108. Brief« – eine erbarmungslose Kritik der »Französischen Zustände«; nein, des Zustandes von Heinrich Heine. Börne schneidet mit radikalem Messer das Tuch zwischen sich und Heine durch und damit Heines Zwietracht mitten ins Herz. Wen er treffen will, das ist der »Nur-Künstler«, dem die Form das Höchste ist und das Einzige bleibt, der

Knabe, der am Tage des blutigsten Kampfes auf dem Schlachtfelde nach Schmetterlingen jagt, der Dichter, der, sobald er die Kunst verläßt, ins Schrankenlose absinkt, »es trinkt ihn der Sand«:

»Heine bettelt der Natur ihren Nektar und Blüthenstaub ab, und bauet mit bildendem Wachse der Kunst ihre Zellen. Aber er bildet die Zelle nicht, daß sie den Honig bewahre, sondern sammelt den Honig, damit die Zelle auszufüllen. Darum rührt er auch nicht, wenn er weint, denn man weiß, daß er mit den Thränen nur seine Nelkenbeete begießt. Darum überzeugt er nicht, wenn er auch die Wahrheit spricht, denn man weiß, daß er an der Wahrheit nur das Schöne liebt.«

Heine ist für Börne Tyrannenhasser und Tyrannenknecht zugleich, Jakobiner bis zu dem Moment, in dem er aus der Rocktasche des feuerspeienden Mirabeau die Tabakpfeife ragen sähe, dann »pfui Freiheit! ginge er hin und machte schöne Verse auf Marie-Antoinetten's schöne Augen«. Börne mag und kann einem Mann nicht glauben, der selber nichts glaubt und der den Heldentod der Republikaner von St. Mery zwar besungen hat, der sich aber über sie lustig gemacht hätte, wären sie weniger schön und an einem weniger malerischen Ort gestorben. Heine, der nicht reinen Herzens, nur reinen Atems sei, böte Demokraten und Aristokraten, Republikanern und Royalisten gleichzeitig die Stirn – gleichsam ein politisch-anatomisches Wunder, zumal, wenn man allen nur den Rücken kehre. Ein Talent, doch kein Charakter: das ist die Summe dieses schärfsten Angriffs auf Heine zu Heines Lebzeiten.

Hier bereits, bezeichnenderweise, findet sich die Vor-Formulierung von Karl Kraus' eifervollem Verdikt, ein so großer Satiriker, daß man ihm die Denkmalswürdigkeit absprechen müßte, sei Heine nicht; »daß es ihm nicht immer gelingen wird, sich zu überschätzen«, heißt das bei Börne. Er ließ sogar, zwei Jahre später, noch eine Verurteilung von Heines »De l'Allemagne« folgen.
Man erinnere sich der Mordlust, mit der Heine auf ein vergleichsweise harmloses Pasquill des Grafen von Platen reagiert hatte. Wie nun erst hier! Nie bisher hatte ihn jemand so getroffen. Platens Anrempeleien waren ein lästiges Ärgernis gewesen; aber es war zu guten Teilen um die äußere Existenz gegangen, die Heine durch seine »Rückstufung« ins Judentum befürchten mußte. Eine Religiosität etwa war nie berührt worden, eine große Emotion gar – die war das Judentum für Heine nie. Hier aber galt es *der* großen Emotion, dem inner sanctum, dem einzigen Glauben und der einzigen Liebe, die Heine irgend hatte: seinem Ich. Heines Buch »über« Börne ist sein blitzendstes Pamphlet – und es ist seine intensivste Selbstdarstellung »– doch still, mein Herz, du verrätst dich zu sehr . . .«
Das Buch, natürlich, ist voll der perfidesten Ausfälle gegen den Belagerer. Heine spricht von »terroristischen Expektorationen« und »politischem Wahnsinn«, »rohester Tobsucht«, »roter Wut« und »jakobinischem Veitstanz«, »plebejischem Kot«, »pöbelhaften Tönen« und »blutdürstiger Sentimentalität«. Er geht, wie immer, wenn er auf's Blut gereizt wird, schonungslos indiskret auf das Privatle-

ben des Gegners ein, wirft Börne anwidernde Immoralität vor; zwar gibt Heine zu, wie befremdlich dieser Vorwurf aus dem Munde eines Mannes klingen mag, der selber nie ins Zelotengeschrei sogenannter Sittenprediger habe einstimmen mögen – aber Börnes verduckte Dreiecksbeziehung zum Ehepaar Wohl war für Heine deshalb so unerträglich, weil es Arrangement verriet, nicht die große Passion: »... die Welt ist am Ende gerecht, und sie verzeiht die Flammen, wenn nur der Brand stark und echt ist und schön lodert und lange ...« Doch diese Florettstiche und Attacken sind nur Einübungen. Indem Heine mehr und mehr in seinen Gegner hineinbohrt, kommt er mehr – zu sich; in des Wortes doppelter Bedeutung. Der erste Anlauf klingt noch nach eher harmlosem Ritterspiel und Turniergockelei:

»... namentlich in betreff meiner hat der Selige sich solchen Privatgefühlen hingegeben, und all seine Anfeindungen waren am Ende nichts anderes als der kleine Neid, den der kleine Tambourmaître gegen den großen Tambourmajor empfindet: er beneidete mich ob des großen Federbusches, der so keck in die Lüfte hineinjauchzt, ob meiner reichgestickten Uniform, woran mehr Silber, als er, der kleine Tambourmaître, mit seinem ganzen Vermögen bezahlen könnte, ob der Geschicklichkeit, womit ich den großen Stock balanciere, ob der Liebesblicke, die mir die jungen Damen zuwerfen und die ich vielleicht mit etwas Koketterie erwidre.«

Doch das steht nicht zufällig im Kontext mit dem Vorwurf des »Robespierre-tums«; Heine hat expressis verbis nie

Robespierre als Individuum, immer als »Gattung« gemeint – jene, die wie Börne manchmal nur durch glücklichen Umstand am Besitz einer Guillotine verhindert sind. Nein, das in der Heine-Literatur so oft verworfene Tambourmajor-Bildnis ist nicht Spiegel eines Pfaus, der ein Rad schlägt. Ist Imago vielmehr eines Menschen, der fürchtet, aufs Rad geflochten zu werden. Blutrunst, Jakobinismus, Vernichtung und Opfer sind die Vokabeln im Umfeld dieses Zitats! Im zweiten Anlauf schon wird Heine ernster, grundsätzlicher. Hier nun beginnt seine Verwerfung: des Nazarenertums. Und damit ihm nicht Anti-Jüdisches, gar Anti-Semitisches unterstellt werden kann – Heine ist ein so anmutig-flinker wie vorsichtiger Florettfechter –, klärt er seinen Begriff des Nazarenertums. Nicht die Juden seien für ihn verantwortlich. In der ihm eignen Lust, auch Ernsthaftes mit mokanten Anekdoten luxurierend zu machen, zitiert er Hegel, demzufolge man auch der Natur nicht vorwerfen kann, daß sie wunderlicherweise eines der menschlichen Glieder zu den erhabensten wie niedrigsten Verrichtungen benutze . . .; nein, auch Katholiken können Nazarener sein, solche, die vielleicht Lustigkeit kennen – gaieté –, aber nicht Freude – joie –:
»Die Nazarener haben zuweilen eine gewisse springende gute Laune, eine witzige eichkatzenhafte Munterkeit, gar lieblich kapriziös, gar süß, auch glänzend, worauf aber bald eine starre Gemütsvertrübung folgt: es fehlt ihnen die Majestät der Genusseligkeit, die nur bei bewußten Göttern gefunden wird.«

Darauf läuft Heines Duell mit Börne hinaus, und obwohl Börne das probate Gegensatzpaar »ein Talent, doch kein Charakter« gar nicht benutzt hat, wußte Heine sehr wohl, was gemeint war. Deshalb ließ er sich gerade darauf ein, auf eine Definition dieser beiden Begriffe, von zentraler Bedeutung in seinem moralischen Konzept, und das heißt auch im politischen. Er destilliert seine Definition aus der Polemik – Absage an die »große Menge«, der er den Weitblick abspricht, Denken und Fühlen großer Geister überhaupt beurteilen zu können. Das Problem, innerhalb einer bestimmten Lebensanschauung, mit ihr identifiziert zu leben oder doch mit Denken und Fühlen in Widerspruch zu geraten – auch und gerade mit sich –, das ist für die »geistig Blöd- und Kurzsichtigen« gar keines; die klagen dann allenfalls über Willkür, Inkonsequenz und Charakterlosigkeit. Dafür werden Minderbegabte, Oberflächlichere leichter ergründet und akzeptiert, sie sind begreifbar, weil sie auf populäre Weise sich allemal auf öffentlichem Markte proklamiert haben. Ihnen jubelt das Volk zu: »Seht, das ist ein Charakter.«
Heine trifft mit dieser Bestimmung ganz offensichtlich eine des eignen Standorts. Der folgende Abschnitt liest sich wie ein Credo:
»Es ist immer ein Zeichen von Borniertheit, wenn man von der bornierten Menge leicht begriffen und ausdrücklich als Charakter gefeiert wird. Bei Schriftstellern ist dies noch bedenklicher, da ihre Taten eigentlich in Worten bestehen, und was das Publikum als Charakter in ihren Schriften verehrt, ist am Ende nichts anders als knechti-

sche Hingebung an den Moment, als Mangel an Bildnerruhe, an Kunst.«

Es war die Abfuhr des Schriftstellers an den Journalisten, des Menschenbildners an den Maler propagandistischer Plakate. Heine war nicht hochmütig in diesem Buch, aber er verwahrte sich. Die Grenze war scharf, sie trennte nicht dialektisch verbundene Gegensätzlichkeiten, sondern Antipoden. Heine leistete sich Utopien und nicht Illusionen, vor deren Möglichkeit zum Terror er erschrak. »Das große Heilmittel« schien ihm weder vorhanden noch sichtbar, und eine gesellschaftliche Radikalkur schien ihm eher Verarmung zu erreichen denn Bereicherung. Daraus bezog er sein Recht auf Doppeldeutigkeit, Wankelmut und Unzuverlässigkeit; was in den Termini der Literatur Ironie heißt. Wen wundert es, daß dies eines der Lieblingsbücher Thomas Manns war, und wen wundert es, daß dies eines der Bücher ist, das in Analysen und Darstellungen des politischen Schriftstellers Heinrich Heine am wenigsten Berücksichtigung findet. Was immer Börne gewesen sein mag – er nicht und niemand auch im Kreise seiner Kombattanten war Babouvist. Aber die Schlußapotheose von Heines Buch liest sich wie eine abermalige Variation des bekannten Absatzes aus dem »Lutetia-Vorwort«. Gelänge es selbst radikalen Weltveränderern, die leidende Menschheit auch nur kurzfristig von ihren wildesten Qualen zu befreien, so fürchtet sich Heine doch davor bereits, denn

»... so geschähe es doch nur auf Kosten der letzten Spuren von Schönheit, die dem Patienten bis jetzt

geblieben sind; häßlich wie ein geheilter Philister wird er aufstehen von seinem Krankenlager, und in der häßlichen Spitaltracht, in dem aschgrauen Gleichheitskostüm, wird er sich all sein Lebtag herumschleppen müssen. Alle überlieferte Heiterkeit, alle Süsse, aller Blumenduft, alle Poesie wird aus dem Leben herausgepumpt werden, und es wird davon nichts übrig bleiben als die Rumfordsche Suppe der Nützlichkeit. Für die Schönheit und das Genie wird sich kein Platz finden in dem Gemeinswesen unserer neuen Puritaner, und beide werden fletriert und unterdrückt werden, noch weit betrübsamer als unter dem älteren Regimente. Denn Schönheit und Genie sind ja auch eine Art Königtum, und sie passen nicht in eine Gesellschaft, wo jeder, im Mißgefühl der eigenen Mittelmäßigkeit, alle höhere Begabnis herabzuwürdigen sucht, bis aufs banaleste Niveau.«
Heikel, gewiß. Es ist die Deklaration des Ausnahmemenschen. Es ist die hoffärtige Definition des Kreativen, der sich sein eigenes Koordinatensystem baut und andere Moralarchitekturen allenfalls proklamiert, aber nicht lebt. Es ist das Existenzverständnis von Goethe, der einem lächerlichen Duodezfürsten gepudert schmeichelte, wie von Brecht, der seine grundsätzliche Feigheit zur »List« stilisierte, der zum bewaffneten Kampf um Madrid die Kollegen aufforderte – in einer Rede, und der die sterbende Geliebte in Moskau abstreifte, um das rettende Dampfschiff in Wladiwostok zu erreichen; »in mir habt ihr einen, auf den könnt ihr nicht bauen« – wer hat diese Zeile geschrieben: der in Ostberlin arbeitende DDR-Na-

tionalpreisträger und österreichische Staatsbürger mit dem Schweizer Konto, oder der in Paris lebende getaufte Jude mit der Bewunderung für das Haus Rothschild und der heimlichen Pension des Ministeriums Guizot?
Für Heine war das europäische Imperium Rothschild, der erste »Multi« dieser Welt, gleichsam ein größerer Onkel Salomon; auch der, obzwar Baron, ungetauft. Heine haßte und bewunderte zugleich. Geldadel und Geistesadel wollte er zur Ebenbürtigkeit zusammenzwingen, eine Parallelität der Macht sehen. Doch gleichzeitig war Heine zu klug, um sich nicht selber zu durchschauen. Selbst seine lakonischen Spitzen sind nicht ganz frei von Unterwürfigkeit. So konnte er von Arm-in-Arm-Spaziergängen schwärmen und gleichzeitig bei Tische auf Rothschilds Frage, warum der Wein denn Lacrimae Christi hieße, antworten: »Übersetzen Sie nur Christus weint, wenn reiche Juden solchen Wein trinken, während so viele arme Menschen Hunger und Durst leiden.« Grillparzer, der Heines Adresse überhaupt nur von der Baronin Rothschild erfahren konnte, meinte ganz traurig, man müsse doch bei niemandem essen, den man verächtlich findet – aber Heine genoß die Diners im Renaissance-Palast der Rue Laffitte ebenso wie seine Zynismen. Als der Intellektuelle letztlich verachtende Millionär einmal über Künstler und Schriftsteller wichtig tat »wenn ich will, kauf' ich sie dutzendweis«, meinte Heine sarkastisch: »Wohl möglich, aber wie werden Sie es wieder anfangen, wenn Sie sie gekauft haben, sie mit gutem Gewinn wieder loszuwerden? Denken Sie an Horace Vernet!« Das war eine

ziemlich grobe Anspielung: Jedermann in Paris wußte, daß Rothschilds großer Wunsch, von Vernet porträtiert zu werden, in einer Farce endete; als der Baron um den geforderten Preis von 150 Louisdors zu handeln begann, steigerte der renommierte Schlachtenmaler wütend seinen Preis auf 200, dann 300, dann 500 Louisdors und rief endlich erbost »oder gratis«. Das Ergebnis war schmählich – auf dem berühmten Bild »Die Wegnahme der Smala Abd-el-Kaders« sieht man im Vordergrund die Gestalt eines fliehenden Juden, der das Gemetzel ringsum nicht beachtet, sondern besorgt sein Kästchen mit Gold und Edelsteinen rettet: Er trägt die Züge des Barons Rothschild. Dutzende derlei Geschichten kursierten in Paris, auch die vom derart überzeugenden Bettler-Modell Rothschild im Atelier von Delacroix, daß ein Malschüler ihm vor Mitleid einen Franc schenkte; nächsten Tags sei an dessen Tür ein livrierter Diener erschienen, der diesen Brief abgab: »Sehr geehrter Herr, beiliegend das Kapital, das Sie mir an der Tür des Studios von Monsieur Delacroix überreichten, mit Zinsen und Zinseszinsen. Insgesamt die Summe von Francs 10 000. Sie können den Scheck bei jeder beliebigen Bank einlösen.

James de Rothschild«.

Keineswegs aber ging es lediglich um Anekdoten, Diners und Bonmots. Es ging vielmehr um reale Macht. Macht war stets ein Faktor, den Heine bewunderte, und den zu mißachten er zwar vorgab, den wirklich anzugreifen er sich aber ängstlich hütete. Nicht nur sah er sich selber als eine Art europäischer Großmacht, deren Einfluß er auf vielfältige Weise zu nutzen suchte – als Journalist, als mit Enthüllungen seiner Memoiren drohender Schriftsteller, als Freund anderer Mächtiger. Diese respektierte er, gelegentlich bis zur Willfährigkeit. Wann immer ein Wörtlein gegen Rothschild riskiert worden war – am folgenden Tag kam ein Billet in die Rue Laffitte.

Der Schmeichelfuß wurde dabei manchmal gar zum Kratzfuß – wenn Heine etwa die großartige Kühnheit der Herren von Rothschild öffentlich bewundert, mit der sie während der Pest in Paris blieben oder irgendwelche minimalen Spenden mit der Eloge hervorhob, der Name dieses Hauses sei überhaupt und immer hervorzuheben, wo ein Werk der Menschenliebe verrichtet würde.

Das Werk der Menschenliebe nämlich war im Falle Heinrich Heines sehr konkret: Heine erhielt Jahre hindurch enorme Geldzuwendungen vom Hause Rothschild. Mit Unterbrechungen, die besonders interessant sind. Sie haben nämlich unmittelbar mit Zensur zu tun.

Ab Januar 1832 druckt die *Allgemeine Zeitung* die »Französischen Zustände«. Die in rascher Folge erscheinende Serie beschäftigt sich mit Gedanken zur Französischen Revolution, zum Saint-Simonismus, mit Deutschland kaum. Trotzdem interveniert Gentz bereits im April im Auftrage Metternichs bei Cotta, dem Verleger der *Allgemeinen Zeitung*. Im Herbst übersendet Heine das Manuskript für die Buchfassung der »Französischen Zustände« und die »Vorrede«. Campe weigert sich aus Furcht vor der Zensur, die Vorrede zu drucken und schlägt eine »Vorrede zur Vorrede« vor, die unter fiktivem Namen in Paris erscheinen soll. Im Dezember erscheint das Buch, Campe hatte es der Zensurbehörde vorgelegt, die »Vorrede« ist von ihr verstümmelt. Heine hat zwar zehn Tage zuvor noch an Immermann geschrieben: »Von der Politik stehe ich jetzt ferne. Ich werde von den Demagogen gehaßt. Durch die Vorrede zu den Zuständen habe ich nur zeigen wollen, daß ich kein bezahlter Schuft bin. Halten Sie mich doch bei Leibe für keinen Vaterlandsretter.« Jetzt aber, eine Woche später, schreibt er empört an Campe, »betäubt von Kummer«, daß er auf den vollständigen Druck der Vorrede »nebst der Vorrede zur Vorrede« bestehe, als eigene Broschüre, »nur schnell«. Sein größter Ärger ist, daß der dümmliche Zensor durch das Streichen eines einzigen Wortes einen Satz in sein Gegenteil verkehrt habe; über den Schriftsteller Raumer hieß es, er sei von allen schlechten Schriftstellern noch der beste – die Zensur hatte »schlechten« gestrichen. Heine publiziert unter dem Datum vom 1. Januar 1833 eine öffentliche Erklärung, die man wohl die erste »Richtigstellung« in der Geschichte des deutschen Pressewesens nennen kann:

»Indem ich jetzt auf lange Zeit, vielleicht auf immer vom Vaterlande entfernt leben muß, empfinde ich mit desto tieferem Leidwesen jedes Mißereigniß, wodurch das deutsche Publikum verleitet werden dürfte, meine Gesinnungen zu verkennen. Dieses kan namentlich der Fall seyn beim Erscheinen der ›Französischen Zustände‹, einem Buche, worin eine Zusammenstellung politischer Artikel, die ich früher für die Allgemeine Zeitung geschrieben, und eine ergänzende Vorrede enthalten seyn sollte.

Nimmermehr hätte ich jenes Buch herausgegeben ohne diese Vorrede, worin ich die Gesinnungen, die in jenen Artikeln nur angedeutet sind, vollkräftig mittheilen und zugleich durch anderweitige Besprechungen einen großen Akt der Bürgerpflicht ausüben konnte. Wie soll ich nun die widerwärtige Empfindung ausdrücken, die mich berührte, als ich einen Abdruk dieser Vorrede brieflich erhielt, und daraus ersah, daß mehr als die Hälfte davon unterdrükt worden; ja, was noch fataler ist, daß durch diese Unterdrükungen alles, was ich sagte, nicht blos entstellt, sondern auch mitunter ins Servile verkehrt worden ist! Gegen jede irrige Deutung, die daraus entstehen kan, will ich mich nun hiermit vorläufig verwahrt haben. – Ich bitte alle honnetten Journale diese Zeilen abzudruken.

Paris, den I. Januar 1833. *Heinrich Heine.*«

Zur selben Zeit spricht er vom erlöschenden politischen Interesse und seiner Beschäftigung mit Kunst. Und zur selben Zeit drängt er Campe, die Broschüre mit den beiden Vorreden zu drucken. Das Buch »Französische Zustände« steht inzwischen auf dem Index. Die Rigorosität der preußischen Zensur läßt sich schwerlich übertrieben darstellen. In Berlin durften weder »Tell« noch »Egmont« aufgeführt werden, Kleists »Prinz von Homburg« war verboten, und selbst der sterbende E. T. A. Hoffmann wurde peinlichst wegen seines »Meister Floh« verhört, weil man in der Liebe des Studenten Georg Pepusch zur schönen Dörtje eine Hochverräteranspielung auf die Kommission zur Untersuchung demagogischer Umtriebe sah; das Buch wurde beschlagnahmt und konnte nur in »entschärfter« Fassung erscheinen. Manche Zeitungen stopften die Zensurlücken mit sinnlosen Worten oder den immer selben Anekdoten. Hoffmann von Fallerslebens »Bonner Commersbuch« wurde ebenso gereinigt wie Arndts Lied »Bringt mir Blut der edlen Reben«; hieß es ursprünglich:

»Und dies Letzt', wem soll ich's bringen in dem Wein
Süßestes von allen Dingen,
Dir, o Freiheit, will ich's bringen in dem Wein!«,

so hieß es in der zensierten Fassung:

»Süßestes von allen Dingen,
Dir muß ich's im Stillen bringen in dem Wein.«

Börnes »Briefe aus Paris« wurden derart wütend verfolgt, daß Campe die weiteren Folgen unter dem Titel »Mittheilungen auf dem Gebiete der Länder- und Volkskunde« und unter einem fingierten Pariser Verlagssignet »L. Brunet« herausgab. Heine spottete später, als die Zensur sich gelockert hatte:
»Wie soll ein Mensch ohne Zensur schreiben, der immer unter Zensur gelebt hat? Aller Stil wird aufhören, die ganze Grammatik, die guten Sitten. Schrieb ich bisher

etwas Dummes, so dachte ich: nun, die Zensur wird es streichen oder ändern, ich verließ mich auf die gute Zensur. – Aber jetzt – ich fühle mich sehr unglücklich, sehr ratlos! Ich hoffe auch immer, es ist gar nicht wahr und die Zensur dauert fort. . .«

Aber das »Wintermärchen« hat er einer Selbstzensur unterzogen, die Endfassung ist gegenüber den erhaltenen Handschriften deutlich gemildert. Trotzdem druckt Campe auf Heines Drängen hin die Broschüre der Vorrede. Im März 1833 liegt der Sonderdruck, nur das Titelblatt fehlt noch, im Verlag vor. Am 4. April versuchen republikanische Studenten, die Konstablerwache in Frankfurt am Main zu stürmen, was die politische Situation und Campes Sorge vor Zensurmaßnahmen verschärft. Er schickt im Mai einen Abzug des Separatdrucks an Heine und rät gegen dessen Veröffentlichung. Plötzlich verbietet Heine die so dringlich erbetene Publikation. Eben noch hieß es »Ich kann nicht honett schlafen – ich bin wütend auf Sie – der Teufel hole Sie«; jetzt wird die Vernichtung der gesamten Auflage befohlen, sämtliche Exemplare müssen in der Druckerei eingestampft werden (nur ein Korrekturabzug blieb erhalten). Am 4. Juli geht der »Rückzugsbefehl« an Campe – und noch im selben Monat erscheint in der Pariser Buchhandlung »Heideloff und Campe« (die mit Campe in keiner Geschäftsverbindung stand, Friedrich Napoleon Campe war ein Neffe von Julius) die »Vorrede«. Und zwar von Heine inauguriert, aber nicht signiert. Paul Gauger hieß nun der Verfasser, der Name eines Gehilfen des Pariser Buchhändlers. – Vom wahren Verfasser ging sogleich ein Brief nach Berlin, an den soeben verwitweten Freund Varnhagen von Ense, in dem Heine sich energisch von dieser Publikation distanziert.

Offenbar war etwas vorgefallen. Es waren Interessen gefährdet worden – und das waren weder die von Metternich noch jene von Preußen; beide betrafen die »Französischen Zustände« so gut wie gar nicht. Interveniert hatte keine nationale Macht, sondern eine internationale – das Bankhaus Rothschild war in Wien vorstellig geworden, über seinen »chargé d'affaires«: Gentz.

Diesem Einfluß ist es auch zu verdanken, daß Heine nach sieben Jahren politischer Enthaltsamkeit im Jahre 1840 wieder zur journalistischen Feder griff und in derselben *Augsburger Allgemeinen Zeitung* eine lange Serie über die französische Tagespolitik veröffentlichte. Es war die Zeit, in der Thiers Ministerpräsident geworden war und eine aggressiv gegen Österreich, Preußen, England und Rußland gerichtete Außenpolitik verfolgte. Frankreich geriet in Europa und – noch wichtiger – im Orient in die Isolation. Die Börse notierte tiefe Stürze der Rothschild-Aktien. Das Bankhaus brauchte und wollte jetzt keinen Krieg. Der Heine-Forscher Walter Wadepuhl ist dem nachgegangen und kommt zu dem Schluß:

»So wandte sich Salomon Rothschild – James war damals gerade in päpstlichen Angelegenheiten in Rom beschäftigt – an den einflußreichsten Journalisten auf dem Kontinent, an Heinrich Heine, um dieser gefährlichen Kriegshetze in den deutschen Zeitungen entgegenzuwirken. In der Tat beginnen von nun an auch Rothschilds persönliche Subventionen, mit denen Heine bei jeder größeren Anleihe bis an sein Lebensende regelmäßig bedacht wurde.«

Es existieren zahlreiche Briefe Heines an James de Rothschild, in denen er ganz unverblümt Beteiligungen, Vorzugsaktien oder Börsenspekulationen nicht erbittet, sondern fordert:

»Ich will weder einen Sou Geld einschießen, noch einen Sou riskieren, und wünsche mich weniger in dem Emprünt als vielmehr in Ihrem Gewinne an dem Emprünt zu betheiligen.«

Heinrich Heine hatte Beziehungen zu *beiden* Häusern Rothschild – zum Stadtpalais mit seinen eleganten Diners, und zum Comptoir mit den reichen Schatullen. Die Anspielung auf jenes Vernet-Gemälde und die Zurechtweisung des Geldbarons, der sich des Kaufs von Schriftstellern brüstete, war nicht ohne doppelten Boden.

Die Pension, die Heine aus einem Geheimfonds der französischen Regierung bezog, kam merkwürdigerweise aus dem Ministerium für *Äußere* Angelegenheiten; also jener Behörde, an der den Rothschilds besonders lag. Es war auch das Amt, das über Ausweisungen zu verfügen hatte; bekanntlich war Marx und mit ihm eine ganze Gruppe deutscher Emigranten, alle Mitarbeiter des *Vorwärts*, auf Ersuchen der preußischen Regierung im Januar 1845 aus Paris ausgewiesen worden. Heine als einziger nicht. Damals nahm man allgemein an, weil er französischer Staatsbürger war. Das stimmte nicht – Heine hatte niemals seine deutsche Staatsbürgerschaft abgelegt. »Es wäre für mich ein entsetzlicher, wahnsinniger Gedanke, wenn ich mir sagen müßte, ich sei ein deutscher Poet und zugleich ein naturalisierter Franzose. Ich käme mir selber vor wie eine jener Mißgeburten mit zwei Köpfchen, die man in den Buden der Jahrmärkte zeigt!« Nein, Franzose war Heinrich Heine nicht, als Karl Marx Paris verlassen mußte. Aber Empfänger jener »allocation particulière« von 4 800,– Francs monatlich, und zwar seit fast zehn Jahren. Der Betrag entsprach dem Jahresgehalt eines gut verdienenden Professors. Die ganze Affäre ist inzwischen aufgeklärt – dubios bleibt sie. Keineswegs war es Heine recht, als die *Revue Rétrospective* im Jahre 1848 die Listen der Empfänger solcher Pensionen veröffentlichte. Er hatte das tunlichst verschwiegen und setzte – nachdem die *Allgemeine Zeitung*, verbunden mit allerlei Verdächtigungen, diese Nachricht auch in Deutschland gedruckt hatte – umgehend eine »Erklärung« in die Welt. Sie ist eher gewunden als wahrhaftig. Als Hauptgrund, diese Geste französischer loyauté, das »große Almosen des französischen Volkes« in Anspruch genommen zu haben, nennt Heine das Verbot, das der »Deutsche Bundestag« damals gegen die Schriften des »Jungen Deutschland« erlassen hatte. Dieser Erlaß existierte, er traf Gutzkow und Laube – der die Bezeichnung, dem »alten Deutschland« Goethes entgegengesetzt, geprägt hatte –, Theodor Mundt und Ludolf Wienbarg – der seine »Aesthetischen Feldzüge« dieser Gesinnungsgenossenschaft gewidmet hatte; und er traf Heinrich Heine. Allein: der Bundestagsbeschluß wurde erlassen am 10. Dezember

1835. Ab 1. Januar 1836 erhält Heine seine Pension. So schnell arbeitet keine Administration der Welt. Es müssen einflußreiche Gönner sich lange vorher für ihn verwendet haben, und nicht nur die schöne Prinzessin Belgiojoso, in deren Schloßpark Heine mit Monsieur Thiers spazierengegangen war. Heine tut sogar ein übriges: Er schreibt, *nachdem* er die geheime Pension bereits bezieht, Ende Januar, eine ›Bittschrift‹ »An die Hohe Bundesversammlung in Frankfurt am Main«, von der er später selber sagt, mancher habe sie als gar zu untertänig getadelt. In der Tat handelt es sich um einen seltsamen Text. Wie immer, wenn Heine mit einer »Macht« verkehrt – ob mit Metternich oder Onkel Salomon, der Bundesversammlung oder dem Bankier Rothschild – mischt sich Lakonie mit Hohn, Hochmut mit Unterwürfigkeit.

»Diese Worte sind keine Protestation, sondern nur eine Bitte. Wenn ich mich gegen etwas verwahre, so ist es allenfalls gegen die Meinung des Publicums, welches mein erzwungenes Stillschweigen für ein Eingeständnis strafwürdiger Tendenzen oder gar für ein Verläugnen meiner Schriften ansehen könnte. Sobald mir das freie Wort vergönnt ist, hoffe ich bündigst zu erweisen, daß meine Schriften nicht aus irreligiöser und immoralischer Laune, sondern aus einer wahrhaft religiösen und moralischen Synthese hervorgegangen sind, einer Synthese, welcher nicht bloß eine neue literarische Schule, benamset das junge Deutschland, sondern unsere gefeiertsten Schriftsteller, sowohl Dichter als Philosophen, seit langer Zeit gehuldigt haben. – Wie aber auch, meine Herren, Ihre

Entscheidung über meine Bitte ausfalle, so seyen Sie doch überzeugt, daß ich immer den Gesetzen meines Vaterlandes gehorchen werde. – Der Zufall, daß ich mich außer dem Bereiche Ihrer Macht befinde, wird mich nie verleiten, die Sprache des Haders zu führen; ich ehre in Ihnen die höchsten Autoritäten einer geliebten Heimath. Die persönliche Sicherheit, die mir der Aufenthalt im Auslande gewährt, erlaubt mir glücklicherweise, ohne Besorgniß für Mißdeutung, Ihnen, meine Herren, in geziemender Unterthänigkeit, die Versicherungen meiner tiefsten Ehrfurcht zu bringen.
Paris, Cité Bergère No. 3, den 28. Jan. 1836.
Heinrich Heine, beider Rechte Doctor.«
Noch im Februar vermutet er in dem Bundestagsbeschluß allenfalls einen Schreckschuß, nicht ernst zu nehmen und durch seinen »submissen Brief«, mit dem er die alten Perücken ein bißchen gestreichelt habe, gewiß abwendbar. Auch im März äußert er sich ähnlich. Ein Grund also, vier, gar acht Wochen *vorher* sich aus dem Geheimfonds eines französischen Ministeriums, der ausschließlich der Kontrolle des Königs unterliegt, bezahlen zu lassen? Mit der Begründung, er habe nun keine Einkünfte vom deutschen Buchmarkt mehr, obwohl er erklärtermaßen zu dieser Zeit gar nicht an das ernsthaft exekutierte Verbot glaubte? Eine auf Jahre eingerichtete staatliche Zahlung, die – Weihnachten nicht einmal eingerechnet – demnach innerhalb von 14 Tagen beantragt, genehmigt und erstmals geleistet wurde? Und wieso fällt schon in jenem Brief an Immermann der Ausdruck »bezahlter Schuft« – die Schärfe der

Vorrede erkläre sich einzig aus dem Umstand, daß er nicht für den gehalten werden wolle?
In seiner Sorge, auf die peinliche Enthüllung angemessen zu reagieren, verheddert sich Heine sogar in den Daten. Nicht nur die sofortige »Erklärung« nimmt es mit der Wahrheit wenig genau; auch die Jahre später publizierte »retrospektive Aufklärung« ist unzuverlässig. Beispielsweise zitiert er »mehrere meiner Landsleute, darunter der Entschiedenste und Geistreichste, Dr. Marx« als Kronzeugen herbei, die ihm seinerzeit mit Rat und Tat gegen die Verleumdung zur Seite gesprungen seien. Er hatte offenbar vergessen, daß Marx noch lebte; der jedenfalls schreibt kurz darauf an Freund Engels:
»Ich habe Heines 3 Bände nun zu Hause. Unter anderm erzählt er ausführlich die Lüge, ich etc. seien ihn trösten gekommen, als er in der Augsburger ›A. Z.‹ wegen der Erhaltung von Louis-Philippschen Geldern ›angegriffen‹ war. Der gute Heine vergißt absichtlich, daß meine Intervention für ihn sich Ende 1843 ereignete, also nicht mit facts zusammenhängen konnte, die *nach* der Februarrevolution 1848 ans Licht kamen. But let it pass. In der Angst seines bösen Gewissens, denn der alte Hund hat für allen solchen Dreck ein monströses Gedächtnis, sucht er zu kajolieren.«
Im selben Rechtfertigungstext rühmt sich Heine auch der Genossenschaft von »Berühmtheiten des Talents und des Unglücks« und führt als Empfänger solcher Geheimfondspensionen den Historiker Thierry bis hin zum Günstling Ferdinands VII. und Exfavoriten der spanischen Königin,

Prince de la Paix Godoy, an, den Goya noch porträtiert hat; dabei verliert man aber den Umstand aus den Augen, daß auf dieser sehr umfangreichen Liste von Geldempfängern neben einem unbedeutenden Stuttgarter Journalisten Heine der einzige Deutsche war. Dem nun machte man in Deutschland den Vorwurf, Geld eventuell bekommen zu haben nicht für das, was er schrieb, sondern für das, was er nicht schrieb. Heine wehrte sich besonders emphatisch gegen diese Unterstellung – mit allerdings verblüffender Logik. In genau diesem Zusammenhang nämlich berichtet er, daß er sogar Schwierigkeiten unter Guizot – nein, nicht gehabt hätte, sondern hätte haben *können;* wenn er nicht – Verschiedenes verschwiegen hätte.

Heines »Französische Zustände« sind ein ideologisches Glaubensbekenntnis des Saint-Simonismus und, als logische Konsequenz, ein Loblied auf das Bürgerkönigtum. Es war das Frankreich des riesigen kapitalistischen Aufschwungs, und dessen Repräsentant wie Symbolfigur hieß: Rothschild. Diese Instanz sah Balzac, trotz seines Royalismus, kritisch; einen Baron de Nucingen gibt es bei Heine nicht. Gewiß ist es lächerlich, einem Mann wie Heinrich Heine zu unterstellen, er habe dies oder das in direktem »Auftrag« geschrieben oder verschwiegen. Es ist aber ebenso abwegig anzunehmen, das Haus Rothschild habe wahrnehmbare Summen über viele Jahre hinweg aus purer Caritas gezahlt. Einflüsse laufen anders.

Das hohe Lied auf Thiers und Guizot ist in Heines Schriften unübersehbar, auf die Hauptstatthalter des orléanistischen Systems also. Von dem Haß auf die

»aristocratie bourgeoise«, von dem er 1830 noch sprach, ist nichts mehr zu spüren. Heine wußte, daß Louis Philippe das »Buch der Lieder« verehrte, deutsch las und die Heineschen Berichte verfolgte. Heine spricht selber von seiner »Verehrung« für Guizot und seiner »Liebe« zu Thiers, er charakterisiert beide in immer neuen Variationen als große Staatsmänner, Denker, Philosophen und Freunde der Künste. Von Guizot sagt er, sein eigentliches Geschäft sei die tatsächliche Erhaltung des Regimes der Bourgeoisie, das von den marodierenden Nachzüglern der Vergangenheit ebenso grimmig bedroht würde wie von der »plünderungssüchtigen Avantgarde der Zukunft«; dessen Satz »auch im Enthusiasmus muß die Ordnung vorwalten« gilt Heine als »wohltätig in der Konfusion der Gegenwart«, und er hofft auf ihn als den Mann, der »das hereinbrechende Verderben« abwehren kann; denn »die zerstörenden Doktrinen haben in Frankreich zu sehr die unteren Klassen ergriffen«.

In Thiers, Guizot und ihrem König symbolisiert sich für Heine das Frankreich, das er meinte. Heine war kein gekaufter Achtgroschen-Journalist, auch kein 4800-Francs-Schreiber. Aber er sah das Bürgerkönigtum in vergoldetem Licht.

Der große Historiker dieser Zeit, Louis Blanc, sah es anders. Liest man seine »Geschichte der zehn Jahre, 1830–1840«, so hat man den Eindruck, von einer anderen Zeit zu lesen, von anderen Akteuren, die nur zufällig dieselben Namen tragen. Auch Louis Blanc berichtet von Guizots energischem Kampf gegen eine Republik – aber er

kritisiert ihn. Er zitiert dessen Dictum über die Juli-Revolution, die nichts geändert habe als eine Dynastie, und er referiert das Schweigen des neuen Ministers auf die »hohnvolle Ovation«, die Guizot dem Königtum darbrachte:
»Aber Frankreich ist nicht republikanisch; man müßte seinen Überzeugungen Gewalt antun, um diese Regierungsform hier einzuführen . . .«
Das könnte von Heine stammen. Der fürchtete ja nicht nur die Saat, aus der auf Frankreichs Boden die Republik hervorzubrechen drohe, sondern sah zu seinem Entsetzen dann gar das Bürgertum schwächlicher im Abwehrkampf gegen das Neue als weiland die Aristokratie in ihrem gegen das Bürgertum.
Heine wünschte gleichsam einen Galanteriedegen in die Hand von Guizot, dessen »Widerstand gegen den anstürmenden Radikalismus« er lobte und der jede Veränderung des Verteilungssystems mit dem klassischen Ausspruch niederhielt: »Die Arbeit ist ein Zügel.« Und umgekehrt: Heines Beurteilung der Februarrevolution, des Endes der Herrschaft von Philipp von Orléans – »Du hast keinen Begriff davon, welche Misère jetzt hier herrscht«, schreibt er an seine Mutter –, könnte von Guizot formuliert sein: »Ja, Ludwig Philipp war für dieses Volk der einzig mögliche König, und sogar ihn haben sie, nach einem Versuch von achtzehn Jahren, nicht vertragen können. Die Franzosen sind der poetischen Livree des Royalismus, der scharlachgläubigen Romantik mit goldnen Tressen entwachsen, sie paßte ihnen nicht mehr am Leibe, sie

platzte überall in den Nähten, und sie vertauschten dieselbe mit der republikanischen Bluse, die ihnen freilich zu weitbauschig ist, aber doch freiere Bewegung erlaubt. Sie haben jetzt die Republik, und es kommt wenig darauf an, ob sie dieselbe lieben oder nicht lieben. Sie *haben* sie jetzt, und wenn man einmal so etwas hat, so hat man es, wie man einen Leistenbruch hat oder eine Frau oder ein deutsches Vaterland oder sonst ein Gebreste. Die Franzosen sind jetzt kondemniert, Republikaner zu sein, à perpétuité.«

Den Kummer etwa eines Armand Carrel im Juli 1830, der angesichts eines gemütvollen Parisers verzweifelte, der sich mit dem Öl einer zerschlagenen Laterne seelenruhig die Schuhe putzte – »Sehen Sie, das ist das Volk, das ist Paris! Leichtsinn – Gedankenlosigkeit – Anwendung dessen, was große Dinge vorstellt, zu kleinen Gebräuchen« –, diesen Kummer aus Hoffnung teilte Heine nicht; er teilte die Hoffnung nicht. Es war übrigens derselbe Armand Carrel, ein Kollege Heinrich Heines, der sich höchst un-submissest mit einem flammenden Aufruf gegen die Zensur und die zahlreichen Verhaftungen unter Thiers und Guizot wandte und damit seine Existenz aufs Spiel setzte; sein Name kommt bei Heine nicht vor. Ebenso wenig findet sich bei ihm eine so messerscharfe Formulierung wie die von Louis Blanc über das System des Bürgerkönigtums, in dem die Bourgeoisie lediglich ihre eigenen Privilegien gegen Thron, Adel und Geistlichkeit verteidigte, »also die Unterdrückung nicht einmal in andere Hände gebracht oder auf andere Schultern gewälzt« hatte – es herrschte vielmehr

»... in der gesellschaftlichen Ordnung die Konkurrenz, in der moralischen Ordnung der Skeptizismus, in der politischen Ordnung die Anarchie ...«

Heine war nie Revolutionär, er war kein Sozialist, und Heine war nicht einmal Republikaner. Er war ein Mann, der gerne ausgesöhnt lebte mit den Mächten dieser Welt, um die Abenteuer bestehen zu können, die eigentlich und unmittelbar die seinen waren: künstlerische. Das war es, was Börne ihm vorgeworfen hatte, und das war es, was er Börne nicht verzieh; denn er wußte, daß es stimmte. Börne, der Nazarener – Heine, der Hellene. Börne, der Spiritualist – Heine, der Sensualist.

Es kann auch heißen der »Dionysier« – ein Begriff, der Heine durchaus geläufig ist und der eine Generation nach ihm eine wesentliche Rolle spielen wird; gemeint ist derselbe Gegensatz, und gemeint ist derselbe künstlerische Aristokratismus. Ein längeres Zitat verdeutlicht das:

»In allen Ländern Europas und ebenso in Amerika gibt es jetzt etwas, das Mißbrauch mit diesem Namen [›Philosophen der Zukunft‹] treibt, eine sehr enge, eingefangene, an Ketten gelegte Art von Geistern, welche ungefähr das Gegenteil von dem wollen, was in unseren Absichten und Instinkten liegt – nicht zu reden davon, daß sie in Hinsicht auf jene heraufkommenden NEUEN Philosophen erst recht zugemachte Fenster und verriegelte Türen sein müssen. Sie gehören, kurz und schlimm, unter die *Nivellierer*, die fälschlich genannten ›freien Geister‹ – als beredte und schreibfertige Sklaven des demokratischen Geschmacks

und seiner ›modernen Ideen‹; allesamt Menschen ohne Einsamkeit, plumpe brave Burschen, welchen weder Mut noch achtbare Sitte abgesprochen werden soll, nur daß sie eben unfrei und zum Lachen oberflächlich sind, vor allem mit ihrem Grundhange, in den Formen der bisherigen alten Gesellschaft ungefähr die Ursache *alles* menschlichen Elends und Missratens zu sehen: wobei die Wahrheit glücklich auf den Kopf zu stehen kommt! Was sie mit allen Kräften erstreben möchten, ist das allgemeine grüne Weideglück der Herde, mit Sicherheit, Ungefährlichkeit, Behagen, Erleichterung des Lebens für jedermann; ihre beiden am reichlichsten abgesungenen Lieder und Lehren heißen ›Gleichheit der Rechte‹ und ›Mitgefühl für alles Leidende‹ – und das Leiden selbst wird von ihnen als etwas genommen, das man *abschaffen* muß.«
Dieses Zitat stammt aus einem Buch, das genau 30 Jahre nach Heines Tod erschien. Es heißt »Jenseits von Gut und Böse«. Es ist frappant, wieviel Gemeinsames sich bei Heine und Nietzsche findet. Nietzsche hat an vielen Stellen seines Werks – nach anfänglich kritischen Vorbehalten – Heines überwältigenden Einfluß auf sein Denken zugegeben, ihn immer wieder »europäisches Ereignis«, »Genie« oder »höchsten Begriff von Lyriker« genannt.
Die kanadische Germanistin Hanna Spencer hat in einer kleinen Studie nicht nur noch einmal darauf hingewiesen, daß der sprachempfindliche Thomas Mann das Börne-Buch die genialste Prosa bis Nietzsche nannte, sondern bietet in Textgegenüberstellungen dem verblüfften Leser die Möglichkeit, gar nicht mehr unterscheiden zu können,

wer spricht; ohne Zuhilfenahme der Fußnoten wäre schlechterdings nicht festzustellen, bis in winzige stilistische und vokabuläre Gemeinsamkeiten, ob eine Passage von Heine stammt oder von Nietzsche. Dieser sprachlichen Haltung entspricht offenbar eine intellektuelle. So heikel es sein mag, das zu konstatieren: der Heinesche Horror vor dem Nivellieren steigert sich bis zum Recht des Ausnahmemenschen. In einer furiosen Passage etwa, die gegen die »warme, nette, wahrheitliche Prosa des ersten Kirchenvaters der Revolution«, Louis Blanc, gerichtet ist, gegen dessen Vorliebe für absolute Herrscherei und seine Abneigung gegen »genialen Personalismus« oder Berechtigung zu »individueller Kraft und Größe«, ereifert sich Heine geradezu:

»Ich glaube, der Knirps möchte jeden Kopf abschlagen lassen, der das vorgeschriebene Rekrutenmaß überragt, versteht sich, im Interesse des öffentlichen Heils, der allgemeinen Gleichheit, des sozialen Volksglücks. Er selbst ist mäßig, scheint dem eignen kleinen Körper keine Genüsse zu gönnen, und er will daher im Staate allgemeine Küchengleichheit einführen, wo für uns alle dieselbe spartanische schwarze Suppe gekocht werden soll und, was noch schrecklicher, wo der Riese auch dieselbe Portion bekäme, deren sich Bruder Zwerg zu erfreuen hätte. Nein, dafür dank ich, neuer Lykurg! Es ist wahr, wir sind alle Brüder, aber ich bin der große Bruder, und ihr seid die kleinen Brüder, und mir gebührt eine bedeutendere Portion.«

Es gibt bekanntlich kein Buch des Titels »Der Wille zur

Macht« von Friedrich Nietzsche; aber der Kern seiner Philosophie ist erfaßt mit diesem Begriff. Von einer Zuspitzung, gar Aggressivität dieser Couleur ist nichts vorhanden im Œuvre Heines. Aber die intellektuellen Angänge bis zu dieser Weggabelung, »Maximen und Reflexionen« gleichsam, berühren sich in wesentlichen Punkten. Gerade in jenen Nietzsche-Texten aus dem Nachlaß, die früher von unzuverlässigen Editoren unter dem inexistenten Titel »Der Wille zur Macht« zusammengefaßt waren und in denen sich der Satz findet »Die Juden haben in der Sphäre der Kunst das Genie gestreift mit Heinrich Heine und Offenbach . . .« – gerade hier finden sich Übereinstimmungen ohne Zahl. Bereits der Definition der Romantik als Nachschlag des 18. Jahrhunderts, dessen Aristokratismus, Vernunftherrschaft und Zeit der Willenssouveränität hätte Heine sich kaum entzogen; so wenig wie er Einwände gehabt hätte gegen das Dictum »Armut, Demut und Keuschheit – gefährliche und verleumderische Ideale«, und so sehr er zugestimmt hätte, daß die artistische Weltbetrachtung eine anti-metaphysische sei. Nietzsches Haß auf die »schreckliche Konsequenz der Gleichheit«, in der schließlich jeder glaubt, das Recht zu jedem Problem zu haben und in der alle Rangordnung verlorengeht, hat seine Entsprechung zumindest in Heines Furcht vor ihr.

Die Parallelen gehen aber wesentlich weiter, bis tief ins historische Konzept. Heine nennt den Kampf unter den Revolutionsmännern von 1789 »nichts anderes als geheimer Groll des Rousseauischen Rigorismus gegen die

Voltairesche Légèreté«:
»Die echten Montagnards hegten ganz die Denk- und Gefühlsweise Rousseaus, und als sie die Dantonisten und Hébertisten zu gleicher Zeit guillotinierten, geschah es nicht sowohl, weil jene zu sehr den erschlaffenden Moderantismus predigten und diese hingegen im zügellosesten Sansculottismus ausarteten; wie mir jüngst ein alter Bergmann sagte: ›parcequ'ils étaient tous des hommes pourris, frivoles, sans croyance et sans vertu.‹ ... Der rousseauisch ernste Schwärmer Saint-Just haßte alsdann den heiteren, geistreichen Fanfaron Desmoulins. Der sittenreine, unbestechliche Robespierre haßte den sinnlichen, geldbefleckten Danton. Maximilien Robespierre heiligen Andenkens war die Inkarnation Rousseaus; er war tief religiös, er glaubte an Gott und Unsterblichkeit, er haßte die Voltaireschen Religionsspöttereien, die unwürdigen Possen eines Gobels, die Orgien der Atheisten und das laxe Treiben der Esprits, und er haßte vielleicht jeden, der witzig war und gern lachte.«
Daß Heine *seine* Ahnen in Desmoulins, Danton, Voltaire sieht, ist auch dem unbefangenen Leser deutlich. Rousseau war für Heine der Prototyp des Nazareners, Vater jeglichen Terrorismus und jeglicher Menschenbiegerei, Feind von Sinnlichkeit, Glück und Spiel. »Fortsetzung des Christentums durch die Französische Revolution. Der Verführer ist Rousseau ... Voltaire noch die Umanità im Sinne der Renaissance begreifend, insgleichen die Virtù (als ›hohe Kultur‹), er kämpft für die Sache des Geschmacks, der Wissenschaft, der Künste ...«: das nun

wiederum steht bei Nietzsche. Heine nennt sich »nicht tugendhaft genug«, um sich je der Partei der Montagnards anschließen zu können und bekennt sich gleichzeitig als einer, der die Laster zu sehr haßt, als daß er sie je bekämpfen könne. Nietzsche nennt die Sozialisten mit ihrem albernen Optimismus vom »guten Menschen« lächerlich, aber die Gegenpartei ebenso lächerlich.

Dies ist keine zufällig übereinstimmende Wort- oder Begriffskonkordanz. Dem liegt zugrunde eine Übereinstimmung im tiefsten Lebensgefühl. Ob die antithetischen Begriffspaare nun Spiritualismus – Sensualismus, Nazarenertum – Hellenentum, dionysisch – apollinisch, christlich – heidnisch heißen: gemeint ist dasselbe. Das Vorrecht der Sinne, ja der Sinnlichkeit, des schöpferischen Menschen ist Konstante in Heines gesamtem Œuvre; Vorrecht auch über andere Menschen, fast bis hin zu Nietzsches kruder Frage, ob es denn wünschenswert sei, daß die »Rechtwinkligen, Tugendhaften, die Biedermänner, die Braven, die Geraden, die ›Hornochsen‹« blieben. Der tugendhafte Börne und der muntere Tambourmajor? Nietzsche spricht davon, man könne eine Welt nicht begreifen, die man nicht selber gemacht habe – und weiß vermutlich nicht, daß er damit einen der frühesten Gedanken des jungen Marx aufgreift; denn was besagt dieser Satz anderes als der vom entfremdeten, seiner Arbeit entfremdeten Menschen? Es ist eben derselbe gedankliche Status quo des Heinrich Heine – Kritik und Ablehnen der Welt, wie sie ist. Darüber, wie sie sein sollte, gehen die Vorstellungen auseinander. Die Kritik gilt der

Religion *und* der Welt; der befreite Mensch ist der, der sich in nuce eine neue schaffen kann. In nuce, das heißt: *sich*. Und das ist der Künstler. Ihm gibt Nietzsche »mehr Recht als allen Philosophen«, weil sie die große Spur nicht verloren haben, auf der das Leben geht, weil sie die Dinge dieser Welt liebten – ihre Sinne. Das eine hängt mit dem anderen zusammen: Der Künstler ist damit der »Heidnische«, denn heidnisch ist Jasagen zum Natürlichen und christlich das Gegenteil. Dies aber ist haargenau Heines Begriffsapparatur; nazarenisch hieß ja bei ihm eben nicht etwa »jüdisch«, sondern schloß programmatisch »christlich« mit ein, entfernt vom Natürlichen, Hellenischen.
Heines gesamte Religionskritik muß auch in diesen Zusammenhang gesetzt werden. Es war eine Abwehr des Elements des Asketischen. In seiner vor Ironie sprühenden Luther-Passage der »Geschichte der Religion und Philosophie in Deutschland« macht er sich zum advocatus papae, da der eigentlich viel vernünftiger gewesen sei als Luther, der nicht begriffen habe, daß »die letzten Gründe ... die Idee des Christentums, die Vernichtung der Sinnlichkeit« der menschlichen Natur letztlich zu stark zuwiderliefe, um ganz ausführbar zu sein. Jene von Luther so attackierten Ablaßzettel seien sozusagen ein kluges System von Zugeständnissen, hinter dem sich genau diese Erkenntnis von der Unerläßlichkeit, also Läßlichkeit der Sünde verberge. Der Katholizismus als Konkordat zwischen Gott und dem Teufel, zwischen Geist und Materie und der Petersdom als Monument sinnlicher Lust, weil erbaut wie die Pyramide des ägypti-

schen Freudenmädchens aus dem Ablaßgeld fleischlicher Sünden – das ist Heines spöttisches Bild. Je mehr Zugeständnisse an das Fleisch, desto prunkvoller die Verherrlichung des Geistes. Die absurde Übertreibung zeigt, wem Heines Kritik und Abscheu gilt: der Kirche, nicht Gott. Diese Unterscheidung läßt sich in allen Angriffen, Deklarationen oder Bekenntnissen Heines finden, selbst in so prägnanten Kurzformen wie der vom Mausoleum des Katholizismus, dem Kölner Dom, »steinerne Hülle eines erloschenen Gefühls«, die so genaue Entsprechung wieder hat in Nietzsches Satz von den Kirchen, die Grüfte und Grabmäler Gottes sind. Genau genommen liegt in solchen Formulierungen ein Element des Bedauerns – Mausoleum und erloschenes Gefühl heißt nicht, daß das Gefühl selber, daß der, der im Mausoleum liegt, falsch war. Askese und Passionssucht der Christen sind Heine so fremd, ja widerwärtig wie etwa Börnes nazarenisches Gemüt, und dessen politische Exaltation war ihm gleichwertig dem republikanischen Durst nach Märtyrertum – genauso, wie Nietzsche den »Moralfanatiker Rousseau mit unterirdischer Christlichkeit der Werte« höhnte.

In diesem Lichte betrachtet ist auch hier eine Konstante zu sehen. Heinrich Heine hat ein ganz einheitliches Wertsystem. Seine schon zu Lebzeiten viel beklatschte, von Marx bespöttelte »Rückkehr« zur Religion hat nie stattgefunden. Er hat sich immer mit Emphase gegen diese Unterstellung gewehrt, vor allem, ihm den »miserablen Grund« seiner Krankheit für die Bekehrung zuzuschieben. Gewiß, die acht Jahre der Matratzengruft, während derer er nicht einen Schritt gehen konnte, wie ein Kind abgemagert, von Pflegepersonal getragen und versorgt, die grauenhaften Schmerzen manchmal wenigstens zur Erträglichkeit gedämpft durch Morphium, das in eine am Hals ständig offen gehaltene Wunde gestreut wurde – dies Martyrium hätte geeignet sein können zur Einkehr in die Obhut irgendeiner alleinseligmachenden Kirche. Eben das tat Heine nicht:

»Ausdrücklich widersprechen muß ich jedoch dem Gerüchte, als hätten mich meine Rückschritte bis zur Schwelle irgendeiner Kirche oder gar in ihren Schoß geführt. Nein, meine religiösen Überzeugungen und Ansichten sind frei geblieben von jeder Kirchlichkeit; kein Glockenklang hat mich verlockt, keine Altarkerze hat mich geblendet. Ich habe mit keiner Symbolik gespielt und meiner Vernunft nicht ganz entsagt.«

Religiosität ist nicht Religionsgläubigkeit. Heine hat einen sehr persönlichen Gott gesehen – »ich bin für Gott quandmême« –, mochte nicht als Atheist gelten, als Pantheist, als irgendein ... ist; er mochte nichts mehr hören vom Hegelschen Gott oder der Hegelschen Gottlosigkeit:

»Diese spinnwebige Berliner Dialektik kann keinen Hund aus dem Ofenloch locken, sie kann keine Katze töten, wieviel weniger einen Gott.«

Es war gleichsam sein eigener Gott, fast ein privater Gesprächspartner, ein Wesen, dessen Geistigkeit nicht Unsinnlichkeit bedeuten mußte. Heine nannte ihn mal

»Gott unserer Väter« (also der Juden), mal »unseren Herrn – er war ja auch Jude«, mal ein »neues Prinzip«. Wann immer er von diesen Dingen spricht – öffentlich wie privat –, ist von einem persönlichen Gott die Rede, mit dem er Frieden gemacht habe, und den er nie hatte einbezogen sehen wollen in anti-kirchliche Polemiken. Er erzählt voller Selbstspott von dem letzten Tag seines Lebens, an dem er ausgehen konnte – das war schon im Mai 1848 –, er habe sich im Louvre weinend und halb ohnmächtig der »hochgebenedeiten Göttin der Schönheit, unserer lieben Frau von Milo«, zu Füßen geworfen, die doch keine Arme habe und gar nicht helfen könne; eine bemerkenswerte Zusammenfassung der Heineschen Begriffswelt und Wertskala: Schönheit, Griechentum, Göttlichkeit. Es ist Heines religiöse Gefühlsweise, wie er es bezeichnenderweise nennt, die sich überhaupt nicht geändert hat – die Herumerzählereien von neuer Gläubigkeit und Frömmelei erklärt er für eine Mischung aus Unsinn und Böswilligkeit. »Sie werden lachen, die Bibel« – fast hört man diese Brecht-Antwort auf die Frage, welches das ihm wichtigste Buch sei: »das Buch« ist es, von dem Heine immer wieder spricht und in dem man einen verlorenen Gott wiederfinden oder einem nie erkannten begegnen könne. *Was* er aber an diesem Buch lobt, das ist Lobpreis seines alten, ewigen Kategorien-Systems: »Wie die Sonne, die uns wärmt, wie das Brot, das uns nährt.« Aus Tanz und Schalmeienklang und Myrte des lebensvollen Jünglings sind Sonne und Brot eines dem Tode entgegensiechenden Mannes geworden. Eher eine homogene Entwicklung als antagonistischer Widerspruch. Wenn von Umwandlung die Rede ist, spricht Heine stets von »göttlichen Dingen«, nie von der Kirche; er ist, wie die Wortwahl einer solchen Erläuterung beweist, weder christlich geworden noch fromme Seele:

»Ich habe mich bereits in meinem jüngsten Buche, im ›Romanzero‹, über die Umwandlung ausgesprochen, welche in bezug auf göttliche Dinge in meinem Geiste stattgefunden. Es sind seitdem mit christlicher Zudringlichkeit sehr viele Anfragen an mich ergangen, auf welchem Wege die bessere Erleuchtung über mich gekommen. Fromme Seelen scheinen darnach zu lechzen, daß ich ihnen irgendein Mirakel aufbinde, und sie möchten gerne wissen, ob ich nicht wie Saulus ein Licht erblickte auf dem Wege nach Damaskus oder ob ich nicht wie Barlam, der Sohn Boers, einen stätigen Esel geritten, der plötzlich den Mund auftat und zu sprechen begann wie ein Mensch. Nein, ihr gläubigen Gemüter, ich reiste niemals nach Damaskus, ich weiß nichts von Damaskus, als daß jüngst die dortigen Juden beschuldigt worden, sie fräßen alte Kapuziner, und der Name der Stadt wäre mir vielleicht ganz unbekannt, hätte ich nicht das Hohelied gelesen, wo der König Salomo die Nase seiner Geliebten mit einem Turm vergleicht, der gen Damaskus schaut.«

Ob im Gedicht, ob in Gesprächen, Briefen oder publizistischen Pamphleten – wenn Heine gegen das Wesen der Religion gewettert hat, die uns abspeisen will mit Anweisungen auf den Himmel, und er statt dessen die Genüsse dieser Erde forderte, dann ist es dasselbe Vokabular, mit

dem er gegen politische Prophetien anging; religiöses Asketentum oder politische Rigorosität sind dem Lebensentwurf Heines gleich fremd. Sein Verwahren dagegen liest sich bis ins Detail der Stilfigur austauschbar, spiegelverkehrt – also gleich. Deshalb auch kann er diesen sehr subjektiven Deismus mit dem Gegenwort »Ketzerei« benennen, und deshalb kann er auch, wiederum umgekehrt, von den »intoleranten, fanatischen Pfaffen des Unglaubens« sprechen, seinen »aufgeklärten Freunden«, denen er nun größtes Ärgernis sei und die ihn gerne auf die Folter spannen, damit er seinem Zurückfallen in den alten Aberglauben, »wie sie es zu nennen belieben«, abschwöre. Dies wie Spielmarken je verkehrt eingesetzte Wortmaterial – Pfaffen, Unglauben, Folter, Aberglauben, Abschwören –, so kunst- und sprachbewußt wie der Bau seiner perfektesten Reime, deren zeremoniös gehandhabte Artistik stets auch ent-larven wollte, ist schlüssig und überzeugend in sich.
Er hat sich nicht in Anspruch nehmen lassen und nicht vereinnahmen. Er hat nie geschworen noch abgeschworen. Er war nicht Bruder in Demut, nicht Genosse in Verbundenheit, nicht Liebender in Treue. Er war Wegbegleiter Vieler, doch Niemandes Gefährte. Zum Gevatter hatte er nur einen, acht Jahre lang – den Tod. Er war kein Sonntagskind, er zog die Lebenssumme »es ist mir nichts geglückt in dieser Welt«, und als die Todesstunde kam, war es Sonntag. Als er starb, war einer dahingegangen, der von allem keines gewesen, und dessen alles überklammernde Großartigkeit beides war: Anciennität und Mo-

dernität. Nicht, wie er so gern fabulierte, des neunzehnten Jahrhunderts frühester Sohn, doch der letzte des achtzehnten; und der erste Dichter des zwanzigsten Jahrhunderts.

Bibliographie

Diese Bibliographie erfaßt ausschließlich Titel, die zur Arbeit am vorliegenden Buch benutzt wurden.

Adorno 1958 Theodor W. Adorno, Noten zur Literatur I, Frankfurt/Main 1958

Baumgart 1972 Winfried Baumgart, Bücherverzeichnis zur deutschen Geschichte, Frankfurt/Main, Berlin, Wien 1971

Betz 1895 Louis P. Betz, Heine in Frankreich. Eine litterarhistorische Untersuchung, Zürich 1895

Betz 1971 Albrecht Betz, Ästhetik und Politik. Heinrich Heines Prosa, in: Literatur als Kunst, hrsg. von Walter Höllerer, München 1971

Blanc 1847 I–IV Louis Blanc, Geschichte der zehn Jahre 1830–1840, aus dem Französischen übersetzt von Gottlob Fink, vier Bände, Hamburg 1847

Börne 1862 VIII–XII Ludwig Börne, Briefe aus Paris. 1830–1833, in: Gesammelte Schriften Bd. VIII–XII, Hamburg, Frankfurt/Main 1862

Butler 1956 E. M. Butler, Heinrich Heine. A Biography, London 1956

Cowles 1973 Virginia Cowles, The Rothschilds. A Familiy of Fortune, New York 1973

Elster 1936 Ernst Elster, Meine Begegnung mit Ludwig Börne. Von Heinrich Heine, in: Die Horen, Monatsschrift für Dichtung, Philosophie und Kunst, hrsg. von Hanns Martin Elster, August–September 1936

Fechner 1911 Theodor Fechner, Heine als Lyriker, in: Heine-Kalender für das Jahr 1912, hrsg. von Eugen Korn, Leipzig 1911

Freiligrath 1968 Manfred Häckel (Hrsg.), Freiligraths Briefwechsel mit Marx und Engels. Teil 1, Einleitung und Text; Teil 2, Anmerkungen, Berlin 1968

Friedländer 1973 G. M. Friedländer, Heinrich Heine und die Ästhetik Hegels, in: Weimarer Beiträge, XIX. Jg. 1973, Heft 4, S. 35 ff.

Garaudy 1954 Roger Garaudy, Die französischen Quellen des wissenschaftlichen Sozialismus, Berlin 1954

Gutzkow 1845 Karl Gutzkow, Börne's Leben, in: Gesammelte Werke, VI. Band, Frankfurt/Main 1845

Hansen 1975 Volkmar Hansen, Thomas Manns Heine-Rezeption, in: Heine-Studien, hrsg. von Manfred Windfuhr, Hamburg 1975

Harich 1956 Wolfgang Harich, Heinrich Heine und das Schulgeheimnis der deutschen Philosophie, in: Sinn und Form, VIII. Jg. 1956, Heft 1, S. 27 ff.

Heine, Briefe 20–23 Heinrich Heine, Säkularausgabe, Werke, Briefwechsel, Lebenszeugnisse, hrsg. von den Nationalen Forschungs- und Gedenkstätten der klassischen deutschen Literatur in Weimar und dem Centre National de la Recherche Scientifique in Paris, Bd. 20–23 Briefe, Bearbeiter Fritz H. Eisner, Berlin, Paris 1970–1972

Heine, Werke 1–14 Heinrich Heine, Sämtliche Werke in 14 Bänden, hrsg. von Hans Kaufmann, München 1964

Heine-Geldern, Karpeles 1911 Maximilian Freiherr von Heine-Geldern, Gustav Karpeles (Hrsg.), Heine Reliquien. Neue Briefe und Aufsätze Heinrich Heines, Berlin 1911

Heise 1973 Wolfgang Heise, Heine und Hegel. Zum philosophisch-ästhetischen Standpunkt Heines, in: Weimarer Beiträge, XIX. Jg. 1973, Heft 5, S. 5 ff.

Heißenbüttel 1972 Helmut Heißenbüttel, Materialismus und Phantasmagorie im Gedicht. Anmerkungen zu Heinrich Heine, in: Zur Tradition der Moderne. Aufsätze und Anmerkungen 1964–1971, Neuwied, Berlin 1972, S. 56 ff.

Houben 1948 H. H. Houben (Hrsg.), Gespräche mit Heine, Potsdam 1948 (Zweite Auflage)

Hüffer 1906 Hermann Hüffer, Heinrich Heine. Gesammelte Aufsätze, hrsg. von Ernst Elster, Berlin 1906

Jung 1948 Alexander Jung, Charaktere, Charakteristiken und vermischte Schriften. Königsberg 1848, (darin: ›Ausstellungen über Heinrich Heine‹, 1835)

Karpeles 1885 Gustav Karpeles, Heinrich Heine – Biographie, Hamburg 1885

Kaufmann 1909 Max Kaufmann, Heinrich Heine und Hamburg, Hamburg 1909

Kaufmann 1958 Hans Kaufmann, Politisches Gedicht und klassische Dichtung. Heinrich Heine. Deutschland. Ein Wintermärchen, Berlin 1958

Kaufmann 1973 Hans Kaufmann, Heinrich Heines literaturgeschichtliche Stellung, in: Weimarer Beiträge, XIX. Jg. 1973, Heft 4, S. 10 ff.

Kraus 1961 Karl Kraus, Auswahl aus dem Werk (Auswahl von Heinrich Fischer), Frankfurt/Main, Hamburg 1961

Kreutzer 1970 Leo Kreutzer, Heine und der Kommunismus, Göttingen 1970

Leonhardt 1975 Rudolf Walter Leonhardt, Das Weib, das ich geliebet hab. Heines Mädchen und Frauen, Hamburg 1975

Lukács 1956 Georg Lukács, Heine und die ideologische Vorbereitung der Achtundvierziger Revolution, in: Aufbau, XII. Jg. 1956, Heft 2, S. 103 ff.

Lüth 1961 Erich Lüth, Hamburgs Juden in der Heine-Zeit, Hamburg 1961

Lüth 1964 Erich Lüth, Der Bankier und der Dichter. Zur Ehrenrettung des großen Salomon Heine, Hamburg 1964

Marcuse 1951 Ludwig Marcuse, Heinrich Heine. Ein Leben zwischen Gestern und Morgen, Hamburg 1951

Marcuse 1960 Ludwig Marcuse, Heinrich Heine in Selbstzeugnissen und Bilddokumenten (rowohlts monographien, hrsg. von Kurt Kusenberg), Hamburg 1960

Marcuse 1977 Ludwig Marcuse, Ludwig Börne. Aus der Frühzeit der deutschen Demokratie, Diogenes 1977

Mayer 1951 Hans Mayer, Anmerkung zu einem Gedicht von Heinrich Heine, in: Sinn und Form, III. Jg. 1951, Heft 4, S. 177

Mayer 1959 Hans Mayer, Von Lessing bis Thomas Mann, Pfullingen 1959

Mayer 1973 Hans Mayer, Goethe. Ein Versuch über den Erfolg, Frankfurt/Main 1973

Mayer 1975 Hans Mayer, Außenseiter, Frankfurt/Main 1975
Meissner 1856 Alfred Meissner, Heinrich Heine. Erinnerungen, Hamburg 1856
Mendelssohn 1845 Joseph Mendelssohn, Salomon Heine. Blätter der Würdigung und Erinnerung, Hamburg 1845 (Zweite, vollständige Auflage)
MEW Karl Marx, Friedrich Engels, Werke, hrsg. vom Institut für Marxismus-Leninismus beim ZK der SED, Berlin 1959 ff.
Meyr 1838 Melchior Meyr, Über die poetischen Richtungen unserer Zeit (Heine, Platen, Rückert, Uhland, das ›Junge Deutschland‹), Erlangen 1838
Monz 1973 Heinz Monz, Karl Marx. Grundlagen der Entwicklung zu Leben und Werk, Trier 1973

Nassen 1895 J. Nassen, Heinrich Heines Familienleben, Fulda 1895
Nietzsche 1930 I–II Friedrich Nietzsche, Werke in zwei Bänden. Ausgewählt und eingeleitet von August Messer, Leipzig 1930
Nietzsche 1960 I–III Friedrich Nietzsche, Werke in drei Bänden, hrsg. von Karl Schlechta, München 1960 (Zweite, durchgesehene Auflage)

Pessoa 1962 Fernando Pessoa, Autopsychographie, in: Poesie, hrsg. von H. M. Enzensberger, Frankfurt/Main 1962, S. 127
Polizeianzeiger 1855 Anzeiger für die politische Polizei Deutschlands auf die Zeit vom 1. Januar 1848 bis zur Gegenwart, Reprografischer Nachdruck der Ausgabe Dresden 1855, Hildesheim 1970
Pollak 1974 Walter Pollak, 1848. Revolution auf halbem Wege, Wien 1974
Prawer 1961 S. S. Prawer, Heine, The tragic Satirist. A Study of the later Poetry. Cambridge 1961

Reeves 1972 Nigel Reeves, Heine and the young Marx, Oxford 1972
Rilla 1950 Paul Rilla, Heinrich Heine – heute, in: Literatur, Kritik und Polemik, Berlin 1950, S. 126
Rose 1956 William Rose, Heinrich Heine. Two Studies of his Thought and Feeling, Oxford 1956
Ruge 1862–1867 Arnold Ruge, Aus früherer Zeit, vier Bände, Berlin 1862–1867

Salomon-Delatow 1962 G. Salomon-Delatow (Hrsg.), Die Lehre Saint-Simons, Neuwied 1962
Scholem 1975 Gerschon Scholem, Walter Benjamin – Die Geschichte einer Freundschaft, Frankfurt/Main 1975
Selden 1884 Camilla Selden, Heinrich Heine's letzte Tage, Jena 1884
Spencer 1972 Hanna Spencer, Heine and Nietzsche, in: Heine-Jahrbuch 1972, XI. Jg., S. 126 ff., Hamburg 1972
Sternberger 1970 Dolf Sternberger, Heinrich Heine und die Abschaffung der Sünde, Hamburg 1970
Storm 1876–77 Theodor Storm, Meine Erinnerungen an Eduard Mörike, in: Westermanns illustrierte Monatshefte, Jg. 41 1876–77, S. 384 ff.
Strodtmann 1884 I–II Adolf Strodtmann, Heinrich Heines Leben und Werke, zwei Bände, Hamburg 1884 (Dritte Auflage)

Thorn 1913 Eduard Thorn, Heinrich Heines Beziehungen zu Clemens Brentano. Dissertation, Marburg 1913
Tucholsky 1960 I–III Kurt Tucholsky, Gesammelte Werke in drei Bänden, hrsg. von Mary Gerold-Tucholsky und Fritz J. Raddatz, Reinbek bei Hamburg 1960

Victor 1951 Walther Victor, Marx und Heine. Tatsache und Spekulation in der Darstellung ihrer Beziehungen, Berlin 1951

Wadepuhl 1974 Walter Wadepuhl, Heinrich Heine. Sein Leben und seine Werke, Köln, Wien 1974
Weidl 1974 Erhard Weidl, Heinrich Heines Arbeitsweise – Kreativität der Veränderung, in: Heine-Studien, hrsg. von Manfred Windfuhr, Hamburg 1974
Werner 1973 I–II Michael Werner (Hrsg.), Begegnungen mit Heine. Berichte der Zeitgenossen. In Fortführung von H. H. Houbens ›Gespräche mit Heine‹, Band I 1797–1846, Band II 1847–1856, Hamburg 1973
Werner 1977 Michael Werner, Heines französische Staatspension, in: Heine-Jahrbuch 1977. XVI. Jg., S. 134 ff. Hamburg 1977
Wolff 1922 Max J. Wolff, Heinrich Heine, München 1922

Ziegler 1899 Theobald Ziegler, Die geistigen und sozialen Strömungen, in: Das neunzehnte Jahrhundert in Deutschlands Entwicklung, hrsg. von Paul Schlenther, Band I, Berlin 1899

Anmerkungen und Quellennachweise

(Die Anmerkungen und Quellennachweise sind nach Buchseiten und Zeilen zitiert: die Ziffer vor dem Komma gibt die Seite an, die Ziffer nach dem Komma die Zeile von oben gezählt)

7,1 Vita und diverse Namen von Heines letzter Liebe sind noch immer nicht ganz aufgeklärt. Was Fritz Mauthner nach einem Besuch bei ihr 1884 in Rouen und nach der Lektüre eines Kapitels ihrer Lebensgeschichte (»Demnach ist Ihr Geburtshaus ja das . . .sche Palais in der Prager Spornergasse!«) nur andeutete, teilt Friedrich Hirth in der Zeitschrift »Das goldene Tor«, Jhrg. 2, Heft 5 1947, als Faktum mit: Die ca. 1836 von einem Ehepaar Krinitz adoptierte Elise Krinitz ist am 26. 6. 1828 als uneheliches Kind des Grafen Nostitz und einer Gouvernante in Prag geboren. Sie heiratete einen Franzosen namens Bellgier (oder, nach anderen Quellen, van Belgern) und nannte sich Margot Bellgier (Heine gab sie die Adresse: M–B, poste restante). Sie publizierte unter dem Namen Abel de Gérard; ihrem früheren Geliebten, Heines Sekretär Alfred Meissner (den zu suchen sie vermutlich nach Paris und zu Heine kam), nannte sie die Initialen MVG: Margot von Gérard. Nach der Begegnung mit Heine publizierte sie unter dem Namen Camille Selden Romane und Essays (die u. a. von Hippolyte Taine gelobt wurden) und, 28 Jahre nach Heines Tod, »Les derniers jours de Henri Heine«. Heines kläglich-flehentliche Briefe an seine »Mouche« sind erhalten, oft hoffnungslos schwarze Nachtrufe wie die berühmte Karte vom 23. 1. 1856, »Misère, dein Name ist Heinrich Heine«; auch einige seiner Gedichte an sie sind publiziert – meist drücken sie das Uneinlösbare dieser Liebe aus:

»Worte! Worte! Keine Taten!
Niemals Fleisch, geliebte Puppe!
Immer Geist und keinen Braten,
Keine Knödel in der Suppe!«

Die stark erotischen Gedichte aber, die wegen der von der Mouche so benannten »Anzüglichkeiten« nie veröffentlicht werden konnten und die Walter Wadepuhl noch Mitte der 30er Jahre unseres Jahrhunderts im Besitz von Dr. Löwenthal in Berlin gesehen hat, bleiben verschwunden. Die »Mouche« starb als Sprachlehrerin am Lyzeum in Rouen am 7. 8. 1896.

7,1 »... ich nenne sie am liebsten Mathilde, weil der Name Creszenzia, welcher auch der ihrer Mutter ist, mir immer in der Kehle wehe that.« Heinrich Heine an Charlotte Embden, 16. 7. 1853, in Heine, Briefe 23, S. 289.

7,2 Erst bei der Taufe in Heiligenstadt bei Göttingen am 28. 6. 1825 in der Dienstwohnung des Pfarrers der St. Martini-Kirche, Superintendent Gottlob Christian Grimm, erhielt Heine »mit Beibehaltung des Familiennamens« die Vornamen CHRISTIAN JOHANN HEINRICH. Einziger Taufpate war der Superintendent Karl Friedrich Bonitz aus Langensalza.
Heine legte zeitlebens größten Wert darauf, daß seine Arbeiten nur unter »Heinrich Heine« erschienen und signierte die Briefe an seine Mutter immer mit »Harry«.
Der heutige Grabstein auf dem Friedhof Montmartre mit dem Namen Heinrich Heine ist nicht der ursprüngliche, auf dem Henri Heine stand.

7,7 Die mütterliche Familie stammte aus dem Städtchen Geldern, nicht weit von Kevelaer – zwischen Kleve und Goch – gelegen; daher nannte sich die Familie, die im übrigen schon seit über 100 Jahren in Düsseldorf ansässig war, van Geldern. Schon Heines Ur-Urgroßvater und sein Urgroßvater Lazarus lebten als reiche Hofagenten in Düsseldorf (verloren aber ihr Vermögen) und waren Ober-Vorsänger resp. Gemeindevorsteher. Trotz ihres Reichtums und ihrer angesehenen Stellung übrigens erhielten sie vom Kurfürsten von der Pfalz nicht die Erlaubnis, sich länger als drei Tage im benachbarten Köln aufzuhalten.
Peira van Geldern, Heines Mutter, die sich später Betty nannte, war am 27. 11. 1771 in Düsseldorf geboren.

7,10 Untersuchungen, Klarstellungen und Widerlegungen zu Heines exaktem Geburtsdatum füllen ganze Bibliotheken. Der einzig zuver-

lässige Satz scheint Heines eigenes Bonmot zu sein: »La chose la plus importante, c'est que je suis né.«
Eine der sorgfältigsten Überlegungen zu den verschiedenen Varianten findet sich bei Hüffer 1906, S. 245–252.

7,12–17 Auch hier widersprechen sich sämtliche Quellen. »Blumen, Blumen, wie schön ist doch die Natur« habe er laut Albert Wolf (Houben 1948, S. 1063) zu seinem Arzt gesagt.
Seiner Krankenwärterin Katharina Bourlois habe er als letztes Wort – letzten Wunsch zugeflüstert: »Schreiben.« (G. Heine in Heine-Geldern, Karpeles 1911, S. 283)
Die letzte Sottise gegen Scribe wiederum sei auch dem Arzt gesagt worden, und die Anekdote vom Gott, dessen Beruf es sei, zu vergeben, findet sich in zahllosen Variationen – mal zu seiner Frau geäußert, mal zu hereinstürzenden (?) Bekannten, u. a. notiert im Tagebuch der Brüder Goncourt unter dem Datum vom 28. 2. 1863.

7,18 Heinrich Heine an J. Homberg & Co., Paris, 26. 1. 1856, in Heine, Briefe 23, S. 480

7,21 Vgl. Betz 1971, S. 150

8,2 Vgl. Houben 1948, S. 299

8,4 »Ich habe noch keine passende Gelegenheit gehabt mit Rothschild in Betreff des bewußten Manuskripts zu sprechen; gegen Neujahr umwogt ihn ein Weltmeer von Geschäften und erst einige Wochen nachher, wo die Brandung ein bischen nachläßt, wo der Strudel nicht mehr so betäubend, kann ich ihm Rede abgewinnen. Werde ihn also erst gegen Ende Januar sprechen; unterdessen aber bitte ich Sie, geben Sie das Manuskript bey Leibe nicht zurück. Das zu zahlende Honorar garantire ich Ihnen aus meiner Tasche. Ja, wollen Sie mir eine rechte Liebe und Freundschaft erzeigen, so schicken Sie mir das Manuskript hierher nach Paris – ich bin dann im Stande etwas zu zeigen und entgehe jedenfalls dem Verdachte als existirten nicht in der Wirklichkeit die Grellen Angriffe, wogegen ich Schutzmittel anböte, oder als hätte ich gar dieselben selber nachträglich ins Leben gerufen, etwa aus

Depit. – Ich möchte, ich gestehe es, gar zu gern die schönen, liebreichen Dienste die mir Rothschild seit zwölf Jahren erwiesen hat, so viel es honetterweise nur möglich ist zu vergelten suchen, aber der bloße Gedanke schon daß er glauben könnte, ich wollte ihn ausbeuten, schüchtert mich ein; macht mich fast feige. Sie haben sich in Betreff dieser Angelegenheit so nobel gegen mich ausgesprochen, daß ich hoffen darf, Sie lassen auch mich nicht in einem peinlichen Verdachte und erleichtern mir meinen Freundschaftseifer für Rothschild indem Sie mir das feindselige Manuskript umgehend durch die Post zuschicken. Mein Ehrenwort mag Ihnen dafür bürgen daß ich es nicht aus Händen gebe und zu Ihrer Verfügung behalte; ich will nur seine Existenz ausweisen und kann ich nicht das Wünschenswerthe erzielen, so bin ich wenigstens gegen den widerwärtigen Argwohn gedeckt als hätte ich das Ganze imaginirt, wo nicht gar provozirt. Sie thun mir einen großen Gefallen; mehr will ich aus Delikatesse nicht sagen.«
Heinrich Heine an Julius Campe, 29. 12. 1843, in Heine, Briefe 22, S. 91 f.
»In Betreff Rothschilds schreibe ich Ihnen nächste Woche, habe dorthin noch nicht gehn können. Unterdessen aber danke ich Ihnen herzlich, daß Sie mir Gelegenheit geben mich diesen Leuten verbindlich zu zeigen. Ich zweifle nicht daß dieses mir nützlich eben so wie erfreulich seyn wird, denn die Influenz dieser Leute auf die deutschen Kanzeleyen ist sehr groß . . .« Heinrich Heine an Julius Campe, 20. 2. 1844, in Heine, Briefe 22, S. 96 f.

8,5 Vgl. Victor 1951, S. 43–44

8,6 Moritz Carriere an K. A. Varnhagen v. Ense, Gießen, 11. Okt. 1851
»[Karl] Marx ist ein höchst geistvoller, aber schroffer Mann, der große Diktatorgelüste hat . . .«
Werner 1973, II, S. 289

8,7 Heines jährliches Einkommen in Paris

Jahr	Französische Franken	Kaufkraft in DM nach offiziellem Stand von 1977
1831	4 500	32 100

1832	7 400	54 000
1833	8 800	64 200
1834	17 000	124 000
1835	11 800	86 000
1836	11 300	82 000
1837	32 400	236 000
1838	13 300	96 000
1839	9 800	71 000
1840	24 600	180 000
1841	14 600	107 000
1842	14 700	107 000
1843	15 100	110 000
1844	7 300	53 000
1845	20 000	146 000
1846	18 600	136 000
1847	20 000	146 000
1848	15 200	111 000
1849	10 200	74 000
1850	10 200	74 000
1851	27 200	198 000
1852	14 700	107 000
1853	14 300	104 000
1854	26 300	191 000
1855	34 700	254 000

Nach Wadepuhl 1977

8,10 »Goethe bezog seit 1816 ein Gehalt von 3100 Talern, doch 1475 Einwohner von Weimar im Jahre 1820 hatten weniger als 100 Taler im Jahr, insgesamt 2171 weniger als 200; . . . in der Mittelschicht der selbständigen Handwerksmeister (430 Einwohner) schwankten die Jahreseinkünfte zwischen 200 und 600 Talern. Die Oberschicht der Beamten, Bankiers, des »Industriekomtoirs« von Herrn Bertuch, der Kaufleute und Gastwirte umfaßte 114 Personen. Zusammen mit Goethe hatten 11 Bewohner von Weimar ein Einkommen über 2000 Taler.«
Hans Mayer, »Goethe«, S. 20. 100 Taler hatten etwa die Kaufkraft von 500 DM im Jahre 1977.

8,13 Der »Anzeiger für die politische Polizei Deutschlands auf die Zeit vom 1. 1. 1848 bis zur Gegenwart« führt Hunderte von Namen aus der Geschichte der deutschen vor-revolutionären und revolutionären Bewegung auf – nicht den Heines.

8,14 »Der Metternich des Bürgertums«, wie Ludwig Marcuse Heine wegen seiner Sorge um den Untergang des Bürgertums und damit aller Kultur nannte, hat sich im Juni 1836 mit einem Brief an Metternich gewandt. (Heine, Briefe 21, S. 156)
Der Bericht des preußischen Gesandten in Wien, Graf Maltzan, ist vom 1. Juli 1836 datiert und referiert Heines Brief als »vollständige Unterwerfung ... dieses abscheulichen Schriftstellers«. Vor allem bäte er darum, empfangen zu werden. Der Brief, trotz Metternichs Bewunderung für Heines Gedichte, wurde nicht beantwortet. Spätestens seit Treitschke gilt er als Zeichen der Servilität Heines – Dolf Sternberger dagegen gibt zu bedenken: »Wäre es nicht denkbar, sehr denkbar, daß er hier den Versuch hat wagen wollen, einen ›Höchstgestellten‹, *den* Höchstgestellten, zu ›bekehren‹? Daß er, wiederum ein halbes Jahr danach, freilich ohne Antwort, doch womöglich insgeheim noch auf Antwort hoffend (so schnell schreiben die Österreicher nicht!), ebendiese angefangene Demarche im Sinn hatte, als er an Campe schrieb, er gewinne das Zutrauen der Staatsmänner, und das, ohne servil zu werden, und diese sähen wohl ein, daß sein ›Revoluzionsgeist sich nicht an die Thätigkeit der rohen Menge wendet, sondern an die Bekehrung der Höchstgestellten‹? Ist diese Wendung übrigens nicht wie eine deutsch-literarische Übersetzung von Enfantins Antithese des ›Apostolat populaire‹ und des ›Apostolat royal‹? ...«
Sternberger 1970, S. 148
Tatsächlich hatte Prosper Enfantin einen ganzen Stapel saint-simonistischer Dokumente an Metternich geschickt, die dieser so wenig zur Kenntnis nahm wie er den Vorschlag eines Spitzels, Heinrich Heine zu gewinnen, goutierte: »Heines Gefährlichkeit steht in keinem Verhältnis zu dem finanziellen Opfer, das gebracht werden müßte, ihn zu gewinnen und zu halten ...« (E. M. Butler 1956, S. 145)
Für Heines Versuche, sich in den verschiedensten Perioden seines Lebens mit der preußischen Regierung zu arrangieren, gibt es zahllose

Zeugnisse. Schon im April 1827, die »Reisebilder II« waren soeben erschienen, schreibt er an Friedrich Merckel: »Ich bin begierig, von Dir zu erfahren, ob keine Regierung mir mein Buch übelgenommen. Am Ende will man doch ruhig am Herde in der Heimath sitzen und ruhig den ›Deutschen Anzeiger‹ oder die ›Hallische Literatur-Zeitung‹ lesen und ein deutsches Butterbrod essen. – Es ist hier so fürchterlich feucht und unbehaglich, und kein Mensch versteht einen, kein Mensch versteht deutsch. – Leb wohl!«
Heine, Briefe 20, S. 285
Wenige Tage später schreibt er an Varnhagen v. Ense im selben Sinne (Briefe 20, S. 286/87).
1831 will Heine durch dessen Vermittlung preußischer Beamter werden und bittet den Freund, einen intervenierenden Artikel zu seinen Gunsten zu schreiben, in dem bei Ablehnung »etwa angedeutet werden soll, daß es ein Verlust sey, daß ich dadurch für Preußen, meine Heimath, verloren ginge«. (4. 1. 31, Briefe 20, S. 430)
Auch bei seinen Bemühungen, 1838 eine eigene Korrespondenz-Zeitung zu gründen, schaltet er Varnhagen wieder ein und versichert seine Regierungstreue: »Wie ich es seit der Juliusrevolution immer getan habe, mit Überzeugung getan habe, werde ich auch hinfüro dem monarchischen Prinzip huldigen.« (13. 2. 38, Briefe 21, S. 253)
14 Tage später wird er an Freund Lewald noch deutlicher: »Denn in Betreff der wichtigsten politischen Fragen, brauche ich nur dem eigenen Willen zu folgen, um den preußischen Interessen zu willfahren und Preußen wird, wenn es in der jetzigen Stellung beharrt oder gar fortschreitet, in mir einen Alliirten finden ...« (1. 3. 38, Briefe 21, S. 257)
Heine hat offenbar auch bestimmte Zusagen erhalten, jedenfalls schreibt er wenig später an Lewald von »erfreulichstem Bescheid aus Berlin«. (6. 3. 38, Briefe 21, S. 261)
Und Eugen von Breza berichtet dem Verleger der geplanten Zeitschrift, Johann Georg von Cotta, daß Heine »in dieser Angelegenheit das feierliche Versprechen einer sehr hochgestellten Persönlichkeit in Deutschland« erhalten habe. (15. 6. 35, Werner 1973, I, S. 302/203)
Heine ging sogar so weit, persönlich den preußischen Gesandten in Paris aufzusuchen, um seine Preußentreue zu beteuern. (Vgl. Wolff 1922, S. 366)

8,15 Heinrich Heine zu Josef Samuel Tauber, Ende Februar/Ende April 1846, in Werner 1973, I, S. 596

8,19 »Nur etwas kann mich aufs schmerzlichste verletzen: wenn man den Geist meiner Dichtungen aus der Geschichte des Verfassers erklären will . . .
Man entjungfert gleichsam das Gedicht, man zerreißt den geheimnisvollen Schleier desselben, wenn jener Einfluß der Geschichte, den man nachweist, wirklich vorhanden ist; man verunstaltet das Gedicht, wenn man ihn fälschlich hineingegrübelt hat. Und wie wenig ist oft das äußere Gerüste unsrer Geschichte mit unsrer wirklichen innern Geschichte zusammenpassend? Bei mir wenigstens paßt es nie.«
Heinrich Heine an Karl Immermann, 10. 1. 1923, zit. nach Wolff 1922, S. 114

8,24 Bertolt Brecht, »Vom armen B. B.«, in Gesammelte Werke VIII, Frankfurt/M. 1967, S. 261 f.

9,14 »Herr Kästner und Herr Tiger sind Talente: Heinrich Heine aber ist ein Jahrhundertkerl gewesen.« In Bänkelbuch, Tucholsky 1961, III, S. 130

9,25 Heinrich Heine an Moses Moser, 25. 10. 1824, in Heine, Briefe 20, S. 180

10,1 Das Gedicht vom 1. 2. 1813 lautet:

»O, habt ihr über Glück und Unglück noch Gewalt,
Ihr Götter! – Gebt dem Glück auf heute viel Befehle,
wenn Vater und der Mutter schöne Seele
heut feiern ihren schönsten Tag!«

»An Doris zwanzigstem Geburtstag« aber hieß das Gedicht, das der Göttinger Musenalmanach abdruckte und dessen Autor Klamer Schmidt war, ein Dichter des 18. Jahrhunderts:

»O habt ihr über Glück und Unglück noch Gewalt,
Ihr Götter, gebt dem Glück auf heute viel Befehle:
denn Grazie, Verstand und schöne Seele
sind heute zwanzig alt.«

Vgl. dazu Karpeles 1885, S. 16, und Hüffer 1906, S. 81
10,6–9 Vgl. Houben 1948, S. 18 f. (In etwas anderer Form auch im 1. Kapitel der Memoiren des Herren von Schnabelewopski.)

10,12–15 Heine, Werke 2, S. 191

10,25–11,2 Heinrich Heine, Romanzero, in Heine, Werke 3, S. 24

11,8 Gerschon Scholem berichtet, daß Benjamin ihm erzählt habe, seine väterliche Großmutter Brunella Meyer stamme aus der Familie van Geldern.
Vgl. Scholem 1975, S. 28
Die Ur-Ur-Großeltern Heinrich Heines waren die Ur-Ur-Urgroßeltern von Karl Marx.
Vgl. dazu Monz 1973, S. 226 f.

11,24 Vgl. Houben 1948, S. 12 f.

12,1 Heinrich Heine, Reisebilder, 1.–3. Teil, in Heine, Werke 5, S. 130

12,2 »Ursprünglich mag Heine, wie er viele Jahre nachher Adolf Stahr erzählte, die Absicht gehabt haben, seine italienische Reise bis nach Rom auszudehnen, obschon diese Angabe nicht mit den Worten eines Briefes an Moser aus den Bädern von Lucca übereinstimmt, wonach der Dichter von dort schon über Florenz und Bologna nach Venedig zurückzureisen gedachte.«
Strodtmann 1884, I, S. 572
». . . er hat mir offen gestanden, daß er in Italien mit Florenz seine Reise beschlossen, weil er sich gefürchtet, nach Rom zu gehen; denn er habe Feinde dort, die ihn gewiß hätten ermorden lassen« (wahrscheinlich Graf Platen).
Ludwig Börne an Jeanette Wohl, 25. 10. 1831, in Houben 1948, S. 230 f.

12,4 Heinrich Heine an J. F. v. Cotta, 2. 4. 1832, in Heine, Briefe 21, S. 33

12,9 Houben 1948, S. 302 f.

12,11 Werner 1973, I, S. 12

12,13 Strodtmann 1884, I, S. 67

12,23 Karpeles 1885, S. 34
Meissner 1856, S. 9
Strodtmann 1884, I, S. 616
Johann Baptist Rousseau, Winter 1819/20, in Houben 1948, S. 25
Hermann Schiff, 1822, in Houben 1948, S. 45
G. Knille, 1824, in Houben 1947, S. 67
Ludolf Wienbarg, Frühjahr 1830, in Houben 1948, S. 175
Ebda., S. 172
Karoline Jaubert, 20. April 1835, in Houben 1948, S. 269 f.
O. L. B. Wolff, April/Mai 1835, in Houben 1948, S. 263
Philarète Chasles, Herbst 1834?, in Houben 1948, S. 255
Ferd. Meyer, September 1849, in Houben 1947, S. 708
Friedrich Pecht, Dezember 1839, in Houben 1948, S. 388 f.
Strodtmann 1884, II, S. 345 f.
Johann Baptist Rousseau, 11. 2. 1840, in Werner 1973, I, S. 35 f.

13,8 Christian Grabbe, zit. nach Marcuse 1951, S. 100

13,10 Heinrich Laube, März 1847, in Houben 1948, S. 601 f. und S. 620

13,16–21 Meissner 1856, S. 9 f.

14,2 Carl Wilhelm Wesermann, 16. 2. 1882, in Werner 1973, I, S. 59
Wolfgang Menzel, November/Dezember 1829, in Houben 1948, S. 20, 21

14,9 Strodtmann 1884, II, S. 243–245

14,11–20 Aloys Clemens, 9.–15. 5. 1831, in Werner 1973, I, S. 223

15,4–13 Rahel Varnhagen, 13. 3. 1829, in Houben 1948, S. 153

15,18–20 Gérard de Nerval, 1840?, in Houben 1948, S. 408

15,28 Zit. nach Marcuse 1951, S. 100

16,2 Selden 1884, S. 81

16,5 Heinrich Heine an Christian Sethe, 20. 11. 1816, in Heine, Briefe 20, S. 19

16,9 Vgl. dazu auch Leonhardt 1975, speziell Kapitel 3, S. 39 ff.

16,11–13 Leonhardt 1975, S. 43

16,16–18 Heine, Werke 5, S. 109

16,22–17,3 Heinrich Heine an Karl August Varnhagen v. Ense, 19. 10. 1827, in Heine, Briefe 20, S. 301 f.

17,5–7 Heinrich Heine an Heinrich Straube, Anfang März 1821, in Heine, Briefe 20, S. 40

17,12–19 Leonhardt 1975, S. 51

18,6 Alexander Weill, November 1844, in Houben 1948, S. 511

18,8 Heinrich Heine an Giacomo Meyerbeer, 24. 3. 1838, in Heine, Briefe 21, S. 266

18,9–11 Heinrich Heine an Charlotte Embden, 29. 12. 1844, in Heine, Briefe 22, S. 150

18,13 Heinrich Heine an Salomon Heine, Anfang Oktober? 1836, in Heine, Briefe 21, S. 162

18,16 Houben 1948, S. 164

18,17–19 Heine, Briefe 20, S. 443

18,24–19,7 Salomon Heine an Heinrich Heine, 26. 12. 1843, in Heine-

Geldern, Karpeles 1911, S. 163–165

19,15 Wer Heines Wohlstand nach seiner Häuslichkeit einschätzte, konnte nur zu dem Entschluß kommen, daß er einen recht ärmlichen Haushalt führe, und in den Biographien wird auch ständig von dem »armen Heine« gefaselt, »arm« im doppelten Sinne von »mittellos« und »bedauernswert«. Heines selbstauferlegtes Los war wohl bedauernswert, doch war er bestimmt nicht mittellos, wie die Heine-Mythe uns glauben lassen will. Wir wissen heute, welche Haupteinnahmen Heine hatte; sie kamen aus folgenden Quellen: 1) von Onkel Salomon und Vetter Karl, 2) von seinem Verleger Campe, 3) von der französischen Regierung, 4) von deutschen Zeitschriften, 5) von französischen und nicht-deutschen Verlegern und Zeitschriften, 6) von Subventionen der Rothschilds und Pereires. Heine bezog noch andere Beträge, über die wir aber keine Belege besitzen; in Wirklichkeit waren seine Einkünfte also höher.
Wadepuhl 1974, S. 156

19,22–27 Marcuse 1951, S. 35 f.

20,4–8 Vgl. Wadepuhl 1974, S. 33
Wadepuhl gibt jährlich 400 bzw. 500 *Thaler* an, die er auf 14 400,– bzw. 18 000,– DM für *1970* ansetzt.

20,11 Wadepuhl 1974, S. 32

20,14–23 Philibert Audebrand, Ende September 1838, in Houben 1948, S. 342 f.

21,2 »Meine Verbrengerin hat sich eine grünseidene Robe angeschafft, welche ich die Vitzliputzli-Robe nenne; ich habe ihr nämlich berechnet, daß die Robe so viel kostet wie das Honorar beträgt für das Gedicht Vitzliputzli, welches im Romancero enthalten ist.«
Heinrich Heine an seine Mutter, 5. 12. 1851, in Heine, Briefe 23, S. 166

21,5–14 Heinrich Heine an Friederieke Robert, 12. 10. 1825, in Heine, Briefe 20, S. 220

21,17 »Auch einem gewissen Griesgram hat
Gar mancher Seufzer gegolten;
Ich dachte mit wahrer Wollust daran,
Wie oft er mich ausgescholten«,
hieß es in der Handschrift. Im Druck aber lautet die Strophe:
»Auch jenem edlen alten Herrn,
Der immer mich ausgescholten
Und immer großmütig beschützt, auch ihm
Hat mancher Seufzer gegolten.«
Kaufmann 1958, S. 48 f.

21, 23 Das neue Israelitische Hospital zu Hamburg, in Heine, Werke 2, S. 51

22,1–7 Tucholsky 1960, III, S. 311

22,12 Dies geht aus einem Bericht von Therese Devrient hervor: »Um sechs Uhr, der Dinerzeit des alten Bankiers, hielt ein höchst eleganter Wagen, Kutscher und Bediente in sehr nobler Livree, vor unserer Tür ... An der Elbe neben dem bekannten Rainville lag die Besitzung Heines ... Salomon Heine führte mich, Eduard die junge hübsche Frau, Salomons jüngste Tochter. Das Innere des Hauses machte einen überaus behaglichen Eindruck, es war von so gediegener Eleganz, daß man sie zuerst gar nicht merkte, alles sah nur bequem und wohnlich aus. Der Speisesaal, gleich im untern Stock, bot außer dem reich mit Silbergeschirr besetzten Büfett und vielen Dienern in Livreen nichts Bemerkenswertes. Die Unterhaltung bei Tisch mißfiel mir, da sie sich meist um die Delikatessen drehte, die eben aufgetragen und verzehrt wurden. Uns, die wir nicht Gourmands waren, entstand darauf die doppelte Beschwerde, so viele Leckerbissen durch das Aufzählen und Preisen derselben fast dreifach genießen zu müssen. In einiger Entfernung mir gegenüber saß ein Herr, der meine Aufmerksamkeit auf sich zog, weil er mich mit zugekniffenen, zwinkernden Augen maß, dann geringschätzig und gleichgültig fortsah. Der Ausdruck seines Gesichts dabei machte mir die Empfindung, als ob ich zu anständig aussähe, um von ihm berücksichtigt zu werden.
›Wer ist der Herr dort drüben?‹ fragte ich meinen Nachbar.

›Kennen Sie den nicht? – Das ist ja mein Neffe Heinrich, der Dichter,‹ und die Hand vor den Mund legend, flüsterte er, ›die Canaille.‹«
Therese Devrient, Mai 1830, in Houben 1948, S. 185 f.

22,29 Vgl. dazu Lüth 1961, S. 10 ff.

23,18 Lüth 1961, S. 20

24,7–20 Ludwig Börne, 43. Brief aus Paris, 18. 3. 1831, in Börne 1862, IX, S. 87 f.

24,23–27 Heine, Werke 2, S. 73

25,6 »Das ›Hepp-hepp, Jude verreck!‹ drang in die Literatur ein«, schreibt Ludwig Marcuse. »In einem Pamphlet ›Judenspiegel‹, das Ende 1819 erschien, erklärte der adlige Verfasser, daß er zwar ›die Tötung eines Juden weder für eine Sünde noch für Verbrechen, sondern bloß für ein Polizeivergehen‹ halte, daß er aber ein besseres Rezept gegen die Juden-Plage habe – man solle ›möglichst viele Juden an die Engländer verkaufen, welche sie statt der Schwarzen in ihren indischen Pflanzungen gebrauchen könnten‹; die Männer müßten entmannt, die Weiber und Töchter in Schandhäusern untergebracht werden.«
Marcuse 1960, S. 59

25,12 Heinrich Heine an Moses Moser, 30. 9. 1823, in Heine, Briefe 20, S. 117

25,17–26,3 Heinrich Heine an Moses Moser, 30. 9. 1823, in Heine, Briefe 20, S. 113

26,7 Werner 1973, I, S. 64

26,19 »Hermann oder Arminius war ihm das Muster eines großen Helden und Patrioten, der sein Leben, sein Alles wagte, um seinem Volke die Freiheit zu erkämpfen und das römische Joch abzuwälzen. Als Heine mit überlauter Stimme, wie einst Augustus, ausrief: ›Varus!

Varus! Gieb mir meine Legionen wieder!‹ frohlockte sein Herz, seine schönen Augen glänzten und sein ausdrucksvolles männliches Gesicht strahlte vor Freude und Wonne.
Wir, seine Zuhörer, waren höchst überrascht, ja erschüttert; noch nie zuvor hatten wir ihn mit einer solchen Begeisterung sprechen gehört.«
Levin Braunhardt, Herbst 1822, Mitteilung an Gustav Karpeles, in Werner 1973, I, S. 66

27,4–8 Kleine Schriften 1840–1856, Ludwig Marcuse, in Heine, Werke 14, S. 49

27,22 Joseph Neunzig, 1806?, in Houben 1948, S. 7 f.

27,27 Heinrich Heine an Moses Moser, 9. 1. 1824, in Heine, Briefe 20, S. 133

28,5–18, Heinrich Heine an Moses Moser, 23. 8. 1823, in Heine, Briefe 20, S. 107

28,27 »Ich weiß nicht was ich sagen soll, Cohn versichert mich Gans predige das Christenthum, und auch die Kinder Israel zu bekehren. Thut er dieses aus Ueberzeugung so ist er ein Narr; thut er es aus Gleisnerey so ist er ein Lump. Ich werde zwar nicht aufhören Gans zu lieben, dennoch gestehe ich, weit lieber wäre mir gewesen wenn ich, statt obiger Nachricht, erfahren hätte Gans habe silberne Löffel gestohlen.
Daß Du, lieber Moser, wie Gans denken sollst kann ich nicht glauben obschon es Cohn versichert und es sogar von Dir selber wissen will. – Es wär mir sehr leid wenn mein eigenes Getauftseyn Dir in einem günstigen Lichte erscheinen könnte. Ich versichere Dich, wenn die Gesetze das Stehlen silberner Löffel erlaubt hätten, so würde ich mich nicht getauft haben.«
Heinrich Heine an Moses Moser, in Heine, Briefe 20, S. 227

29,8–19 Therese Devrient, Mai 1830, in Houben 1948, S. 185 f.

30,6–18 Strodtmann 1884, I, S. 629–631
Bereits der im Herbst 1822 herausgegebene *Westdeutsche Musenalmanach auf das Jahr 1823* hatte mehrere solcher Parodien abgedruckt, einige von Heines Freund J. B. Rousseau, andere unter dem Pseudonym H. Anselmi, hinter dem sich der spätere Herausgeber des *Magazin für Literatur des Auslandes* verbarg, J. S. Lehmann. Ein Vergleich von Heines »Sie haben mich gequälet« mit der entsprechenden Parodie:

»Sie haben mich gequälet,
Geärgert blau und blaß,
Die Einen mit ihrer Liebe,
Die Andern mit ihrem Haß.

Sie haben das Brot mir vergiftet
Sie gossen mir Gift ins Glas,
Die Einen mit ihrer Liebe,
Die Andern mit ihrem Haß.

Doch die mich am meisten gequälet,
Geärgert und betrübt,
Die hat mich nie gehasset,
Und hat mich nie geliebt.

Sie haben mich ennuyieret,
Gequälet, ich weiß nicht wie,
Die Einen mit ihrer Prosa,
Die Andern mit Poesie.

Doch die mich am meisten gelangweilt
Mit ihrem Federkiel,
Die schrieben weder poetisch,
Noch recht prosaischen Stil.«

ebda., S. 222
30,28–31,1 Heinrich Heine an Wolfgang Menzel, 12. 1. 1828, in Heine, Briefe 20, S. 315
Heinrich Heine an Karl August Varnhagen v. Ense, 12. 2. 1828, in Heine, Briefe 20, S. 324

Heinrich Heine an Moses Moser, 14. 4. 1828, in Heine, Briefe 20, S. 340

31,21 Heinrich Heine an Moses Moser, 6. 9. 1828, in Heine, Briefe 20, S. 340

31,25 Heinrich Heine an Fjodor Iwanowitsch Tjutschew, 1. 10. 1928, in Heine, Briefe 20, S. 345 f.

31,29 Heinrich Heine an Wolfgang Menzel, 2. 5. 1828, in Heine, Briefe 20, S. 331

32,1–4 Heinrich Heine an Friedrich Merckel, 14. 4. 1828, in Heine, Briefe 20, S. 327

32,12 Heinrich Heine an Karl Immermann, 26. 12. 1829, in Heine, Briefe 20, S. 374
Vgl. zum Streit Heine-Platen auch Hans Mayer 1975, S. 207 ff.

32,24 Heinrich Heine an Karl August Varnhagen v. Ense, 3. 1. 1830, in Heine, Briefe 20, S. 377f.
Heinrich Heine an Karl August Varnhagen v. Ense, 4. 2. 1830, in Heine, Briefe 20, S. 384 f.
Heinrich Heine an Karl Immermann, 26. 12. 1829, in Heine, Briefe 20, S. 373

32,24–27 Heinrich Heine an Karl August Varnhagen v. Ense, 4. 2. 1830, in Heine, Briefe 20, S. 384 f.

33,10 Heinrich Heine an Karl Immermann, 26. 12. 1829, in Heine, Briefe 20, S. 373

34,13 Vgl. Anmerkung Nr. 91

34,20 Was bemerkenswerterweise ausgerechnet der DDR-Heine-Forscher Hans Kaufmann tut:
»In der Fehde mit Platen haben wir es auch bereits auf beiden Seiten

mit dem Versuch zu tun, aristophanische Waffen zu gebrauchen. Aber der grundlegende Unterschied in der Aristophanes-Rezeption ist hier schon völlig sichtbar. Die der Form nach aristophanischen Komödien Platens waren bloße Literatursatiren (was die meisten Stücke des Aristophanes nicht waren), und sie gehörten, obgleich sie die Romantik bekämpften, ihrem ästhetischen Charakter nach selbst ganz der ›Kunstperiode‹ an. Dagegen ging Heine in ganz eigener und ungebundener Form nicht nur mit aristophanischem Witz und aristophanischer Frechheit zu Werke, sondern weitete vor allem die literarische Fehde bewußt zu einem prinzipiellen weltanschaulichen und politischen Kampf aus; und dies war dem Wesen nach aristophanisch.«
Kaufmann 1958, S. 95

34,21 »›Halten Sie Platen wirklich für keinen Dichter?‹ die treffende Antwort: ›Ei, freilich halte ich ihn für einen Dichter, und zwar für einen bedeutenden, wenn auch innerlichst kalten; er war ein Dichter im griechischen Sinne, dessen Poesie nicht im Gemüthe, sondern in einem inneren musikalischen Sinne bestand, in einem mathemathischen Sinne für Musik.‹ – ›Weßhalb,‹ fragte Kertheny, ›thaten Sie ihm dann aber so mit vollem Bewußtsein Unrecht?‹ – ›Ja, sehen Sie,‹ erwiderte Heine, ›ich trat damals gerade erst auf, und mein ganzes geistiges Wesen ist ein derartiges, daß es nothwendig ein Halloh von Opposition hervorrufen mußte. Das fühlte ich voraus; besonders all' die kleinen Kläffer waren meinen Waden unvermeidlich. Ich wollte Dem kurzweg vorbeugen, und so erwischte ich gleich den größten unter ihnen heraus, schund ihn, wie Apollo den Marsyos, und schleppte diesen Riesen gleich mit mir auf die Schaubühne, damit den Kleineren der Muth vergehe. Das gehört so zur Taktik literarischer Feldzüge. Und dann war der Mensch wirklich ein Halbnarr, als Mensch wenigstens; er ging in Erlangen oder Würzburg mit einem Lorberkranze spazieren. Auch,‹ und hier stockte Heine etwas, ›war er schrecklich arrogant; ich ließ ihm einige Male sagen, er möge mich keinen Juden nennen, ich sei keiner, am allerwenigsten einer in seinem Sinne; er blieb aber störrisch wie Don Quixote, und so nannte ich ihn den einen . . ., und endlich erstach er sich wie ein Skorpion.‹«
Strodtmann 1884, I, S. 610 f.

34,26–29 Alfred Meißner, Februar 1847, in Houben 1948, S. 585 f.

35,10 Heinrich Heine an Johann Wolfgang Goethe, 29. 12. 1821, in Heine, Werke 20, S. 46

35,12 Heinrich Heine an Johann Wolfgang Goethe, Mai 1823, in Heine, Briefe 20, S. 88

35,14 Heinrich Heine an Johann Wolfgang Goethe, 1. 10. 1824, in Heine, Briefe 20, S. 175

35,16 Heinrich Heine an Johann Wolfgang Goethe, Mai 1826, in Heine, Briefe 20, S. 248

36,18–37,4 Heine, Werke 2, S. 257 f.

37,12–21 Heinrich Heine an Moses Moser, 25. 2. 1824, in Heine, Briefe 20, S. 145

38,9 Nachlese zu den Reisebildern, Briefe aus Berlin, in Heine, Werke 6, S. 152–155

38,18–39,4 Wolff 1922, S. 96

39,16 Eduard Wedekind, 24. 6. 1824, in Houben 1948, S. 84

40,10–20 Meissner 1856, S. 41

40,26 A. J. Becher, Anfang 1823, in Houben 1948, S. 56

42,6–9 Heinrich Heine an Heinrich Laube, 27. 9. 1835, in Heine, Briefe 21, S. 121

42,12 Heinrich Heine an Julius Campe, in Heine, Briefe 21, S. 144

42,19 Heinrich Heine an August Lewald, 3. 5. 1836, in Heine, Briefe 21, S. 154 f.

42,27 Heinrich Heine an Betty Heine, 12. 3. 1851, in Heine, Briefe 23, S. 90 f.

43,2 Meissner 1856, S. 49

43,8 Friedrich Pecht, Memoiren, Dezember 1839 – Februar 1840, in Werner 1973, I, S. 441

43,11 Heinrich Brockhaus, 4. 11. 1840, in Houben 1948, S. 420

43,27 Heinrich Heine an Mathilde Heine, 19. 9. 1844, in Heine, Briefe 22, S. 128

44,3 Heinrich Heine an Gustav Heine, 26. 10. 1852, in Heine-Geldern, Karpeles 1911, S. 111
Heinrich Heine an Betty Heine, 8. 3. 1842, in Heine, Briefe 22, S. 21
Heinrich Heine an Gustav Heine, 15. 7. 1851, in Heine, Briefe 23, S. 106
Heinrich Heine an Gustav Heine, 1. 8. 1851, in Heine-Geldern, Karpeles 1911, S. 92

44,4–7 Heinrich Heine an seine Mutter, 30. 3. 1848, in Heine, Briefe 22, S. 270

45,20 Alexander Weill, Ende 1841?, in Houben 1948, S. 428 f.

45,24–46,2 Karoline Jaubert, 1852?, in Houben 1948, S. 927

46,6 Heinrich Heine an Mathilde Heine, 2. 9. 1844, in Heine, Briefe 22, S. 123
Heinrich Heine an Mathilde Heine, 5. 11. 1843, in ebda., S. 74

46,10 Alexander Weill, 1853, in Houben 1948, S. 943 f.
ebda., S. 468

46,22–47,14 Die romantische Schule, in Heine, Werke 9, S. 135 f.

47,15 Vgl. Houben 1948, S. 434, bzw. ebda., S. 356

47,22 Alexander Weill, 1842 ff., in Houben 1948, S. 433

47,26 Marcuse 1960, S. 93

48,9–13 Houben 1948, S. 434

48,15 Heinrich Heine an Gustav Heine, 21. 3. 1851, in Heine-Geldern, Karpeles 1911, S. 83 f.

48,18–24 Karl Marx an Friedrich Engels, 22. 9. 1856, in MEW 29, S. 72

49,13 Heinrich Laube, 1847, in Houben 1948, S. 612

49,14–17 Strothmann 1884, I, S. 483 f.

49,19 Lucie Duff Gordon, September/Oktober 1855, in Houben 1948, S. 1014

49,21–49,29 Aloys Clemens über Heinrich Heine, 9.–15. 5. 1831, in Werner 1973, I, S. 225

50,3 Alfred Meißner, Februar 1847, in Houben 1948, S. 584

50,4 Französische Zustände, in Heine, Werke 8, S. 96

50,5 Heinrich Heine an Moritz Embden, 2. 2. 1823, in Heine, Briefe 20, S. 70

50,7 Vgl. u. a. Heinrich Heine an Betty Heine, in Heine, Briefe 21, S. 80

50,11–51,9 Ludolf Wienbarg, 20. 9. 1857, in Werner 1973, I, S. 208

51,12 »Das hat man von Mignet und der französischen Revolution. Ich las diese Nacht noch spät im Bett, nein, ich las nicht mehr, ich sah die Gestalten selbst aus dem Mignet emporsteigen, die edeln Köpfe der

Gironde und das Fallbeil, das sie mit dumpfem Schlag vom Rumpfe trennt und die heulende Volksmeute, da sah ich nieder und mein Blick fällt auf die Bettstelle, auf diese abscheulige rothe Bettstelle da, und ich komme mir vor, als liege ich auch schon auf der rothen Guillotine, und bin mit einem Satz aus dem Bett. Seitdem habe ich kein Auge zugethan.«
Ludolf Wienbarg, 13. 9. 1857, in Werner 1973, I, S. 209

51,13 Lutetia, in Heine, Werke 12, S. 47

51,18–21 Heinrich Heine an Heinrich Laube, in Heine, Briefe 21, S. 125

51,24 Heinrich Heine an Gustav Heine, in Heine-Geldern, Karpeles 1911, S. 47

51,27 Constance-Madeleine-Louise de La Grange, 11. 3. 1848, in Werner 1973, I, S. 106 f.

51,29 »Heine hatte nie Passion für die Republik, obwohl er für sich ihre Freiheiten in Anspruch nahm. Er fürchtete ihre Nüchternheit, er empfand, daß in ihr die Gegensätze untergehen müßten, welche er für seinen poetischen Witz, ja für seine Poesie brauchte. Er fürchtete die schrecklich tugendhafte Prosa, und es war ihm sonnenklar, daß er unter Republikanern eine mißliche, ja gefährdete Rolle spielen müßte. Er dachte stets in erster Linie an seine Person, an sein persönliches Schicksal, wenn von Staatsformen die Rede war, und wenn man ihm dies vorwarf, so lachte er, und sagte: ›Dies ist ja natürlich, und weil es natürlich, ist es auch richtig. Täten dies alle Politiker, so entstünde nicht so viel Abstraktes, Künstliches und Gemachtes, was keinen Bestand hat. Man soll naiv sein als Politiker wie als Poet. In der Philosophie soll sich das Bedürfnis der Denker ausdrücken, im Staate aber das Bedürfnis der Menschen‹ . . .«
Heinrich Laube, 1847, in Houben 1948, S. 611

52,2 Ferdinand Meyer, September 1849, in Houben 1948, S. 704

52,5 Heinrich Heine an Julius Campe, 9. 7. 1848, in Heine, Briefe 22 S. 287

52,7–15 Heinrich Heine an Alfred Meißner, 12. 4. 1848, in Heine, Briefe 22, S. 271

52,18 Heinrich Heine an Julius Campe, 15. 1. 1849, in Heine, Briefe 22, S. 305

52,21 Heine, Werke 12, S. 77

52,22 »Ich vermag nicht ohne eine tiefe Rührung an die Abende des Monats März 1848 zu denken, als der gute und sanfte Gérard mich alle Tage in meinem Schlupfwinkel an der Barrière de la Santé besuchen kam, um ruhig mit mir an der Übersetzung meiner friedlichen deutschen Träumereien zu arbeiten, während um uns herum alle politischen Leidenschaften tobten und die alte Welt mit einem entsetzlichen Getöse zusammenbrach! Versenkt in unsere ästhetischen und sogar idyllischen Gespräche, vernahmen wir nicht die Schreie der berühmten großbusigen Frau, die damals durch die Straßen von Paris lief und dabei ihr Lied heulte: ›Lampions! Lampions!‹ – die Marseillaise der Februarrevolution unseligen Angedenkens.«
Kleine Schriften 1840–1856, in Heine, Werke 14, S. 218

52,29 Eduard Beurmann, September/Dezember 1836, in Houben 1948, S. 302
Konfident der österreichischen Regierung, Januar 1837, in ebda., S. 310

53,18–55,2 Heine, Werke 9, S. 283 f.

55,22–56,7 Artikel für die *Allgemeine Zeitung*, Kleine Schriften 1840–1856, in Heine, Werke 14, S. 15

56,12 Geständnisse 1854, in Heine, Werke 13, S. 112

56,26–57,15 Lutetia, in Heine, Werke 9, S. 217

57,24–58,3 Heine, Werke 14, S. 65

58,7–11 Zur Geschichte der Religion und Philosophie in Deutschland, in Heine, Werke 9, S. 284

58,17 Heine, Werke 9, S. 158

58,23 Heine, Werke 9, S. 254

58,29 Heine, Werke 9, S. 183 f., bzw. S. 179

59,6 »Im Palais Royal wimmelt's von Ouvriers, die sich die Zeitungen vorlesen und sehr ernsthaft dabei aussehen. Der Ernst, der sich in diesem Augenblick fast wortkarg äußert, ist unendlich beängstigender als der geschwätzige Zorn vor zwei Monaten.«
Lutetia (I), in Heine, Werke 11, S. 227

59,14 Vorrede zu Atta Troll, in Heine, Werke 2, S. 69

59,15–60,19 Heine, Werke 2, S. 68

61,6 Ferdinand Freiligrath an Karl Buchner, 11. 2. 1844, in Freiligrath 1968, S. 99

61,7–9 Freiligrath 1968, S. 114

61,17 Vgl. dazu Kaufmann 1958, S. 195–198

61,19–22 Heine, Werke 2, S. 82

62,2 Heine, Werke 14, S. 146

62,5–15 Nachlese zu den Gedichten 1831–1848, in Heine, Werke 4, S. 8

62,20–24 Heinrich Heine an Heinrich Laube, 3. 12. 1842, in Heine, Briefe 22, S. 41

63,6 Heinrich Heine an Heinrich Laube, 24. 1. 1843, in Heine, Briefe 22, S. 46

63,8 Atta Troll, Lesarten, in Heine, Sämtliche Werke, hrsg. von Ernst Elster, Leipzig, Wien o. J., Bd. 2, S. 538

63,17–64,3 Atta Troll, in Heine, Werke 2, S. 75

64,10–13 Heine, Werke 12, S. 25

64,24 Kaufmann 1958, S. 87, S. 116

65,2 Heinrich Heine an Julius Campe, 17. 4. 1844, in Heine, Briefe 22, S. 100

65,12 Anmerkungen zu Kleine Schriften 1840–1856, in Heine, Werke 14, S. 220

65,12–18 Die Beispiele in der Reihenfolge:
Caput XX, in Heine, Werke 2, S. 193
Caput XIV, in ebda., S. 181
Caput X, in ebda., S. 171
Caput VIII, in ebda., S. 167
Einige der gewagtesten Reime, darauf hat Hans Kaufmann hingewiesen, sind übrigens gar nicht von Heine: »Romantik« – »Uhland, Tieck« entstammt einem Gedicht seines Freundes J. B. Rousseau, und »Strohwisch« – »philosophisch« kommt in Grabbes »Scherz, Satire, Ironie und tiefere Bedeutung« vor.
Vgl. Kaufmann 1958, S. 113

65,28–66,7 Heine und die Folgen, in Karl Kraus 1961, S. 147

66,12 Die Wunde Heine, in Adorno 1958, S. 149

66,20–67,8 Heine, Werke 2, S. 150

67,19 So bei Kaufmann 1958, S. 122

68,2 Heine, Werke 5, S. 9

68,6 So bei Kaufmann 1958, S. 126

68,10–17 Caput II, in Heine, Werke 2, S. 151

69,10–15 Kaufmann 1973, S. 22 f.

69,21 Arnold Ruge, 18. 2. 1870, in Houben 1948, S. 506

70,7–10 Marx, Zur Kritik der Hegelschen Rechtsphilosophie, Einleitung, in MEW 1, S. 378–391; unsere Zitate auf den Seiten 378, 385, 391

70,16 Kaufmann 1958, S. 59

70,19 Marx, Zur Kritik der Hegelschen Rechtsphilosophie, in MEW 1, S. 278

70,21–25 Deutschland, ein Wintermärchen, in Heine, Werke 2, S. 149

71,8–12 Marx, Zur Kritik der Hegelschen Rechtsphilosophie, in MEW 1, S. 379

71,20 Marx, Zur Kritik der Hegelschen Rechtsphilosophie, in MEW 1, S. 380

72,1–72,8 Heine, Werke 2, S. 175 f.

72,16–23 Heine, Werke 2, S. 193 f.

73,9 Reeves 1972

73,27 Einleitung zu »Kahldorf über den Adel«, in Heine, Werke 7, S. 258

74,17–25 Heine, Werke 9, S. 217, und Werke 14, S. 64 f.

74,28 Ferdinand Lassalle, Ende 1845, in Houben 1948, S. 525

75,2–5 Geständnisse, in Heine, Werke 13, S. 119

75,19 Ferdinand Lassalle, Ende 1845, in Houben 1948, S. 525

75,26 Briefe über Deutschland, in Heine, Werke 14, S. 64. An dieser Stelle gibt Heine übrigens auch das von Lassalle überlieferte Gespräch über die Sterne in leicht veränderter Fassung wieder:
»Wir standen einst des Abends am Fenster, und ich schwärmte über die Sterne, dem Aufenthalt der Seligen. Der Meister aber brümmelte vor sich hin: ›Die Sterne sind nur ein leuchtender Aussatz am Himmel‹ – ›Um Gottes willen‹, rief ich, ›es gibt also droben kein glückliches Lokal, um die Tugend nach dem Tode zu belohnen?‹ Er sah mich spöttisch an: ›Sie wollen also noch ein Trinkgeld dafür haben, daß Sie im Leben Ihre Schuldigkeit getan, daß Sie Ihre kranke Mutter gepflegt, daß Sie Ihren Bruder nicht verhungern ließen und Ihren Feinden kein Gift gaben.‹«

76,3 Sternberger 1970, S. 33

76,9 Vgl. zur Frage der Datierung Kaufmann 1958, S. 207, Anm. 106

76,11–22 Zeitgedichte, in Heine, Werke 2, S. 43

77,25 Reeves 1972, S. 88

78,8 Maria Embden-Heine, November 1843, in Houben 1948, S. 481

78,23–80,10 Alexander Weill, 1847, in Houben 1948, S. 568 f.

80,13 Adolf Stahr und Fanny Lewald, November 1855, in Houben 1948, S. 1051

80,20 Kreutzer 1970, S. 19

81,4 Heine, Werke 8, S. 107

81,10 Marx, Gegen Carl Heinzen, *Deutsche Brüsseler Zeitung*, 28. 10. 1847, in MEW 4, S. 341

81,15 Lutetia (I), in Heine, Werke 11, S. 243

81,22 Lutetia (I), in Heine, Werke 11, S. 162

81,29 Zit. nach Kreutzer 1970, S. 17

82,1–3 Alexander Weill, 1847, in Houben 1948, S. 561

82,6 »Ich war aufrichtiger Republikaner. Aber als ich sah, wie der Abschaum meiner Partei, Schuhflicker und Kerle, die alte Nachttöpfe ausbessern, mich mit ihren dreckigen Absätzen mißhandelten, mich duzten, mich Verräter und Juden schimpften, den Spruch über mich fällten und nur darauf warteten, mich zur Guillotine zu schleifen, wenn erst einmal diesen Flachköpfen die Macht zufiele; als ich dieses Froschgezücht aus seinen Hecken und Sümpfen den Kröten im Gebüsch zurufen hörte, daß ihr republikanisches Gequacke viel wertvoller sei und längeren Bestand habe, als meine Nachtigallenlieder, da wandte ich mich mit Abscheu davon ab und näherte mich dem konstitutionellen Königtum, das mir mehr als genügt.«
Alexander Weill, 1843, in Houben 1948, S. 465

82,23 Alle Quellen zit. nach Kreutzer 1970, S. 17 f.

82,26–83,22 Heine, Werke 11, S. 337

84,2 Roger Garaudy, Die französischen Quellen des wissenschaftlichen Sozialismus, Berlin 1954, S. 90; Zit. nach Kreutzer 1970, S. 28

84,3–7 Marx, Engels, Manifest der Kommunistischen Partei, in MEW 4, S. 489

84,12 Anmerkungen zur Übersetzung der Préface, in Heine, Werke 11, S. 336

84,18–25 Heine, Werke 13, S. 245 f.

85,5–7 Moritz Carriere, Ende September 1851, in Houben 1948, S. 898

85,22–25 Heinrich Heine an Gustav Heine, 21. 1. 1851, in Heine-Geldern, Karpeles 1911, S. 66

86,10–13 Sanitätsrat Dr. Skutsch, Sommer 1848, in Houben 1948, S. 678

86,21–24 Adolf Stahr und Fanny Lewald, Oktober 1850, in Houben 1948, S. 835

87,9–88,3 Heinrich Heine an Karl August Varnhagen v. Ense, 3. 1. 1846, in Heine, Briefe 22, S. 180

88,14 Heinrich Heine an Ferdinand Lassalle, 7. 3. 1846, in Heine, Briefe 22, S. 212

88,17–19 Heinrich Heine an Gustav Heine, 21. 1. 1851, in Heine-Geldern, Karpeles 1911, S. 68

88,21–24 Victor 1951, S. 58 f.

88,27 Richard Reinhardt an Karl Marx, 23. 7. 1851, in Werner 1973, II, S. 265

89,5 Vgl. Kaufmann 1958, S. 126

89,11–13 Ludwig Börne – eine Denkschrift –, in Heine, Werke 11, S. 50

89,18 Heinrich Heine an Maximilian Schottky, 4. 5. 1823, in Heine, Briefe 20, S. 84

89,20 Heinrich Heine an Karl Immermann, 14. 10. 1826, in Heine, Briefe 20, S. 263

89,22 Heinrich Heine an Friedrich Merckel, 16. 11. 1826 in Heine, Briefe 20, S. 275

90,4 Ludwig Börne – eine Denkschrift –, in Heine, Werke 11, S. 49 f.

90,18–24 Heinrich Heine an Karl August Varnhagen v. Ense, 4. 1. 1831, in Heine, Briefe 20, S. 428

91,1–3 Heinrich Heine an Karl August Varnhagen v. Ense, 1. 4. 1831, in Heine, Briefe 20, S. 435

91,9–13 Heinrich Heine an Ferdinand Hiller, 24. 10. 1832, in Heine, Briefe 21, S. 40

91,16 Eduard v. Fichte, Besuch bei Heine, 31. 8. 1851, in Werner 1973, II, S. 281

91,24–28 Heinrich Heine an Johann Friedrich von Cotta, 1. 3. 1832, in Heine, Briefe 21, S. 31

92,1 Karl Wolfrum, August 1833, in Houben 1948, S. 250

92,3 August Traxel, Mai 1833, in Houben 1948, S. 245

92,4 Heinrich Heine an Karl Immermann, in Heine, Briefe 21, S. 43

92,10–11 Kurt Tucholsky, Parc Monceau, in Tucholsky 1960, I, S. 1152

92,16 Heinrich Heine an August Lewald, 10. 5. 1831, in Heine, Briefe 20, S. 438

92,17 Heinrich Heine an Maximilian Heine, 21. 4. 1834, in Heine, Briefe 21, S. 83

92,20 Heinrich Heine an Théophile Gautier, April 1852, in Heine, Briefe 23, S. 205

93,4 Zit. nach Butler 1956, S. 104

93,10–13 Alexander Weill, 1839, in Houben 1958, S. 362

93,21 Die Ausnahme Heinrich Heine, in Mayer 1959, S. 273 ff.

94,5 Katja Ebstein singt Heinrich Heine, Musik Christian Bruhn, Electrola 1 C 244-29578

94,11 Zit. nach Butler 1956, S. 104

94,18–21 Karl August Varnhagen v. Ense, 20. 3. 1856, in Werner 1973, I, S. 452

94,22–25 Wolff 1922, S. 373

94,28–95,2 Alfred de Vigny, 1832, in Werner 1973, I, S. 263

95,19 Vgl. Strodtmann 1884, II, S. 230–233
Vgl. dazu auch zahlreiche Belege und zitierte Fehler in Heines Briefen im Kapitel »Heines Kenntnis der französischen Sprache« in Betz 1895

95,21 »Heine hatte nämlich trotz seines langen Aufenthaltes in Frankreich das Französische nie vollkommen erlernt.«
Alfred Meissner, Anfang August 1854, in Werner 1973, II, S. 348
»Auf einem Balle, welcher zu Paris während des Winters 1835 stattfand, wurde mir Heinrich Heine vorgestellt. Er sprach damals das Französische mit einiger Schwierigkeit.«
Caroline Jaubert, 4. 4. 1835, in Werner 1973, I, S. 297

95,23 Kleine Schriften 1840–1856, in Heine, Werke 14, S. 89

96,6 Heinrich Heine an Heinrich Laube, 12. 10. 1850, in Heine, Briefe 23, S. 56

96,12 Marcuse 1960, S. 113

96,17 Heinrich Heine an Karl August Varnhagen v. Ense, 1. 4. 1831, in Heine, Briefe 20, S. 435

96,23 Heinrich Heine an Hartwig Hesse, 10. 2. 1831, in Heine, Briefe 20, S. 432

96,28 Karl Grün, 5. 11. 1844, in Werner 1973, I, S. 563

97,2 Französische Zustände 1831, in Heine, Werke 8, S. 203

97,4 Nachlese zu den Reisebildern, in Heine, Werke 6, S. 228

97,27 Französische Zustände, in Heine, Werke 8, S. 245

98,5 Vgl. Salomon-Delatow 1962, S. 47 ff.

98,27–99,2 Zit. nach Marcuse 1951, S. 177

100,15–18 Œuvres de Saint-Simon et d'Enfantin, Bd. 4, S. 192 bzw. 201, Zit. nach Sternberger 1970, S. 229

100,20 Heinrich Heine an Karl August Varnhagen v. Ense, in Heine, Briefe 21, S. 37

100,22 »Sie haben den Gang der Ideen in Deutschland während der letzten Zeit und die Beziehungen kennenzulernen gewünscht, welche die geistige Bewegung dieses Landes mit der Synthese der Lehre verknüpfen.
Ich danke Ihnen für die Ehre, die Sie mir erwiesen haben, indem Sie mich aufforderten, Ihnen über diesen Gegenstand Auskunft zu geben, und ich bin glücklich, daß ich diese Gelegenheit finde, über die Entfernung hinweg mit Ihnen in Beziehung zu treten.
Gestatten Sie mir, Ihnen dieses Buch darzubringen; ich möchte glauben, daß es dem Bedürfnis Ihres Denkens entgegenzukommen vermag. Wie dem auch sei, ich bitte Sie, es als ein Zeugnis ehrerbietiger Sympathie entgegennehmen zu wollen.

Heinrich Heine«

Die Abhandlung »Zur Geschichte der Religion und Philosophie in Deutschland« ist im Laufe des Jahres 1834 in Paris entstanden, und zwar zuerst in deutscher Sprache. Noch während der Niederschrift wurden die fertigen Abschnitte sukzessive ins Französische übertragen und in der Pariser Zeitschrift *Revue des deux mondes* (in den Heften vom 1. März, 15. November und 15. Dezember 1834) unter dem Titel »De l'Allemagne depuis Luther« (Über Deutschland seit Luther) veröffentlicht. Ein Jahr später nahm der Dichter die Schrift in das Sammelwerk »De l'Allemagne« (1835, zweite Auflage 1855) auf, dem er eine Widmung »A Prosper Enfantin en Égypte« (An Prosper Enfantin in Ägypten) voranschickte.
Anmerkungen, in Heine, Werke 9, S. 333

101,4 Zit. nach Sternberger 1970, S. 229

101,25–102,28 Heinrich Laube, 6. 5. 1883, in Werner 1973, I, S. 403

103,3 Anmerkungen zu Kleine Schriften 1840–1856, in Heine, Werke 14, S. 214 f.

103,14–19 Börne, 65. Brief aus Paris, 30. 12. 1831, in Börne 1862, X, S. 112 ff.

104,6 Strodtmann 1884, I, S. 41

104,9 Heinrich Heine an Karl August Varnhagen v. Ense, 28. 11. 1827, in Heine, Briefe 20, S. 307

104,10 Heinrich Heine an Karl August Varnhagen v. Ense, 1. 4. 1828, in Heine, Briefe 20, S. 323

104,20 Börne, 65. Brief aus Paris, 30. 12. 1831, in Börne 1862, X, S. 112 ff.

104,25 August Lewald, Anfang 1832, in Houben 1948, S. 235

104,28 Ludwig Börne an Jeanette Wohl, 13. 10. 1831, in Houben 1948, S. 223

105,1–4 Heinrich Heine an Karl August Varnhagen v. Ense, 28. 11. 1827, in Heine, Briefe 20, S. 307

105,5–9 Zit. nach Kaufmann 1958, S. 11 (Anmerkung 9)

105,11–17 Heinrich Laube, Nekrolog auf Heine, 6. 8. 1846, in Werner 1973, I, S. 416

105,18–21 Ludwig Börne, in Heine, Werke 11, S. 9

106,2–9 Heine, Werke 2, S. 135

106,13 Heine und die Folgen, in Kraus 1961, S. 155

106,19 Heißenbüttel 1972

107,9–12 Pessoa 1962

107,18 Ludwig Börne, 26. 9. 1831, in Houben 1948, S. 212 f.

107,20 Ludwig Börne, 26. 9. 1831 in, Houben 1948, S. 212 f.

107,25–108,9 Ludwig Börne an Jeanette Wohl, Anfang Dezember 1831, in Houben 1948, S. 232

108,15 Ludwig Börne, 26. 9. 1831, in Houben 1948, S. 212 f.

109,4 Ludwig Börne, in Heine, Werke 11, S. 70

109,8 Strodtmann 1884, II, S. 269

109,15 Zit. nach Strodtmann 1884, II, S. 51 f.

109,22 »›So wie er [Heine] war ich in meiner allerfrühesten Jugend, und manchmal beneide ich ihn, daß er so viel länger jung geblieben ist als ich.‹ – ›Übrigens habe ich eine kleine Tücke dabei, daß ich Heine bei Ihnen so verleumde; ich habe jetzt erst bemerkt, was mir bei unserem

früheren Zusammentreffen entgangen war; daß er ein hübscher Mensch ist und eins von den Gesichtern hat, wie sie den Weibern gefallen.«
Zit. nach Betz 1971, S. 92 f.

109,24 Ludwig Börne an Jeanette Wohl, 13. 2. 1832, in Werner 1973, I, S. 259 f.

109,26 Ludwig Börne an Jeanette Wohl, 9. 1. 1833, in Houben 1948, S. 243

109,29–110,3 Zit. nach Strodtmann 1884, II, S. 270

110,6 Ludwig Börne an Jeanette Wohl, 1. 10. 1831, in Werner 1973, I, S. 238

110,10 Heinrich Laube, 1839, in Houben 1948, S. 373

110,14 Adolf Stahr und Fanny Lewald, September 1850, in Houben 1948, S. 795

110,18 Vgl. dazu Hansen 1975, S. 127

110,21 Börnes Leben, in Gutzkow 1845, S. 11

110,23 Storm, Meine Erinnerungen an Eduard Möricke, zit. nach Hansen 1975, S. 176

111,5–14 Franz Kafka an Max Brod, 20. 7. 1922, in Franz Kafka, Briefe 1902–1924, Frankfurt/Main o. J., S. 397

111,21 Adolf Stahr und Fanny Lewald, September 1850, in Houben 1948, S. 794

111,24–29 Zit. nach Strothmann 1884, I, S. 436

112,2 Elster 1936, S. 685 ff.

112,15 Karl Noé, 16. 1. 1836, in Houben 1948, S. 283

112,16 »Börne lebt mit Heine in Todfeindschaft; dieser spricht von dem ersten nie anders als mit den schmutzigsten Prädikaten; gegenseitig ist der Neid der Hauptgrund des Hasses . . . Heine und Börne sprechen sich nie, sehen sich nie, grüßen sich nie; es ist also Unsinn, zu behaupten, sie arbeiten zusammen. Heine hat gar keine Meinung und affektiert im konstitutionellen, so wie er morgen im absolutistischen und übermorgen im radikalen Sinne ebenso gewandt und glänzend verteidigen oder angreifen könnte. Heine ist ein moralisches und politisches Chamäleon, obgleich er behauptet, er habe sich nie geändert und sei immer königlich gesinnt gewesen. Heine wünscht nichts mehr, als mit den deutschen Regierungen gut zu stehen, ›wenn sie nur wüßten, wie ich denke, sie würden nur günstig für mich gestimmt sein‹.«
Adelbert von Bornstedt, Oktober 1835, in Houben 1948, S. 280

112,22 Ludwig Börne, 12. 10. 1831, in Houben 1948, S. 221

112,25 Börne, 108. Brief aus Paris, 25. 2. 1833, in Börne 1862, XII, S. 122–145

113,5–13 Börne 1862, XII, S. 124

113,18 Börne 1862, XII, S. 126

114,4 Heine und die Folgen, in Kraus 1961, S. 154

114,5 Börne, 108. Brief aus Paris, 25. 12. 1833, in Börne 1862, XII, S. 127

114,22 Ludwig Börne, in Heine, Werke 11, S. 56

114,28 In der Reihenfolge der Beispiele Heine, Werke 11, S. 59, 63, 66, 67, 71, 88

115,2–119,16 Heine, Werke 11, S. 90, 91, 88, 16, 123, 132 f.
Sir Benjamin Thompson, Earl of Rumford (1753–1814) war ein

englischer Politiker, der besonders die Lage der Armen zu verbessern suchte.

119,28 Vgl. Anmerkung 8,24

120,16–18 Houben 1948, S. 298

120,21 Franz Gillparzer, 1836, in Houben 1948, S. 298
Franz Grillparzer, 25. 4. 1836, in ebda., S. 295

120,26–29 Strodtmann 1884, II, S. 247

121,18–23 Cowles, The Rothschilds, New York 1973, S. 97 f., zit. nach Hans Mayer 1975, S. 484 (Anmerkung 14)

122,7 »Ich habe besondere Gründe, diese Lektüre Ihrer gütigsten Nachsicht zu empfehlen. Es sind Stellen darin, wo ich von dem Herrn Baron spreche und meine Sprache vielleicht nicht die der gewöhnlichen Devotion sein mag, die man einem Gönner schuldig ist; aber es hat um diese Gönnerschaft eine besondere Bewandtniß, mit deren Erörterung ich Sie nicht behelligen möchte. Sein Sie aber überzeugt, im Wesentlichen glaube ich mich keines Mangels an Takt schuldig gemacht zu haben. Wenn mich manchmal der Herr Baron mit dem Titel eines Freundes beehrte, so war ich doch nicht so unbescheiden, dieses für etwas anderes als für eine liebenswürdige Courtoisie anzusehn, wie er sich denn wirklich mir oft in seiner größten Liebenswürdigkeit gezeigt hat; die Augenblicke, die ich die Ehre hatte, in seiner Gesellschaft zu sein, gehören zu meinen angenehmsten und freudigsten Erinnerungen.«
Heinrich Heine an Betty de Rothschild, in Heine, Briefe 23, S. 393

122,11 Französische Zustände, in Heine, Werke 8, S. 154

122,14 Kleine Schriften 1840–1856, in Heine, Werke 14, S. 28

123,5–10 Heinrich Heine an Karl Immermann, 19. 12. 1832, in Heine, Briefe 21, S. 43

123,13 Heinrich Heine an Julius Campe, in Heine, Briefe 21, S. 44

123,23–124,18 Heinrich Heine an Bitte, 1. 1. 1833, in Heine, Briefe 21, S. 45 f.

125,16 Strodtmann 1884, I, S. 66

125,23–126,5 Fanny Lewald, 14. 3. 1848, in Houben 1948, S. 654

126,8 Vgl. dazu Kaufmann 1958, S. 147

126,19 Heinrich Heine an Julius Campe, 28. 12. 1832, in Heine, Briefe 21, S. 44

127,4 »Mein Buchhändler in Hamburg hat die Vorrede besonders gedruckt und zwar mit fremden Zwischensätzen. Obgleich ich ihm verbot sie auszugeben, hatte er doch einige Exemplare an Polen mitgetheilt, und mit solch einem Exemplar und der französischen Ausgabe hat ein hiesiger Deutscher die Vorrede ergänzt und auf eigene Hand herausgegeben. – Ich erzähle Ihnen das, damit Sie mich nicht der größten Thorheiten beschuldigen. – Ich habe wahrlich nicht die Absicht, demagogisch auf den Moment zu wirken, glaube auch nicht mahl an die Möglichkeit einer momentanen Wirkung auf die Deutschen. Ich ziehe mich übrigens von der Tagespolitik zurück und beschäftige mich jetzt meistens mit Kunst, Religion und Philosophie.«
Heinrich Heine an Karl August Varnhagen v. Ense, in Heine, Briefe 21, S. 59

127,11 Vgl. dazu Wadepuhl 1974, S. 271
»So haben weder Metternich in Österreich noch Ludwig Philipp in Frankreich jemals auf eigenen Antrieb hin Heines politische Schriften unterdrückt, denn sie sahen ihre nationale Sicherheit in keiner Weise gefährdet.
Ganz anders lagen die Verhältnisse beim Bankhaus Rothschild: Es operierte auf rein internationaler Grundlage, was von französischer und besonders von englischer Seite oft zu öffentlicher Kritik führte.

Da den Rothschilds jedes nationale Bewußtsein abging, konnte Heine auch jede beliebige politische Anschauung verfechten, solange er dabei nicht mit dem guten Ruf und den internationalen Finanzinteressen des Bankhauses in Konflikt geriet. Als Heine 1832 und 1843 diese Spielregeln verletzte, machten die Rothschilds sofort ihre finanzielle Allmacht geltend und bereiteten den Umtrieben Heines durch Unterdrückung seiner Werke ein jähes Ende. Seine politischen Berichte wurden also nicht ein Opfer der reaktionären Politik Metternichs oder Ludwig Philipps, sondern der Geldinteressen des internationalen Bankhauses Rothschild. Für die Berichte der ›Lutetia‹ von 1840 bis Mai 1843 empfing Heine von dort ansehnliche Subsidien.«

127,25–128,3 Wadepuhl 1974, S. 265 f.

128,8–11 Heinrich Heine an James de Rothschild, in Heine, Briefe 23, S. 406

129,1–5 Retrospektive Aufklärung (Lutetia II), in Heine, Werke 12, S. 93 f.

129,23 Kleine Schriften 1840–1856, in Heine, Werke 14, S. 101–103

130,1 Eine neuere Untersuchung, Werner 1977, gibt allerdings eine andere Datierung von Beginn und Ende der Pensionszahlung an Heine.

130,16–131,13 »Ich wußte im Herzen, daß es durchaus nicht darauf abgesehen war, durch jenes Interdikt mich persönlich zu kränken; ich wußte, daß der Bundestag, nur die Beruhigung Deutschlands beabsichtigend, aus bester Vorsorge für das Gesamtwohl, gegen den einzelnen mit Härte verfuhr ...«
Über den Denunzianten, in Heine, Werke 10, S. 80
Heine hat den Ton der Weichheit statt »deklamatorischer Rechthaberei«, die er verabscheute, nicht nur bewußt gewählt, sondern auch begründet und verteidigt: »Ich sage dieses mit Kummer, aber nicht mit Unmut. Denn wen sollte ich anklagen? Nicht die Fürsten; denn, ein

Anhänger des monarchischen Prinzips, ein Bekenner der Heiligkeit des Königtums, wie ich mich seit der Juliusrevolution, trotz dem bedenklichsten Gebrülle meiner Umgebung, gezeigt habe, möchte ich wahrlich nicht mit meinen besonderen Beklagnissen dem verwerflichen Jakobinismus einigen Verschub leisten. Auch nicht die Räte der Fürsten kann ich anklagen ...«
ebda., S. 81

131,17 Heinrich Heine an Julius Campe, in Heine, Briefe 21, S. 138

131,18 Gustav Kombst an Georg Fein, 3. 4. 1836, in Werner 1973, I, S. 317

132,11 Retrospektive Aufklärung (Lutetia II), August 1854, in Heine, Werke 12, S. 81

132,14–24 Karl Marx an Friedrich Engels, 17. 1. 1855, in MEW 28, S. 423

132,27 Retrospektive Aufklärung (Lutetia II), August 1854, in Heine, Werke 12, S. 83

133,13 Heine, Werke 12, S. 93 f.

134,1 Heinrich Heine an Karl August Varnhagen v. Ense, in Heine, Briefe 20, S. 421 f.

134,8 Retrospektive Aufklärung (Lutetia II), August 1854, in Heine, Werke 12, S. 90

134,18 Lutetia (I), in Heine, Werke 11, S. 272 f.
ebda., S. 279

135,5–8 Blanc 1847, II, S. 89 f.

35,11 Lutetia (I), in Heine, Werke 11, S, 161, 240, 242 f.

135,14 »Solange die Bourgeoisie am Ruder steht, droht der jetzigen

Dynastie keine Gefahr. Wie soll es aber gehen, wenn Stürme aufsteigen, wo stärkere Fäuste zum Ruder greifen und die Hände der Bourgeoisie, die mehr geeignet zum Geldzählen und Buchführen, sich ängstlich zurückziehen? Die Bourgeoisie wird noch weit weniger Widerstand leisten als die ehemalige Aristokratie; denn selbst in ihrer kläglichsten Schwäche, in ihrer Erschlaffung durch Sittenlosigkeit, in ihrer Entartung durch Kurtisanerie, war die alte Noblesse doch noch beseelt von einem gewissen Point d'honneur, das unserer Bourgeoisie fehlt, die durch den Geist der Industrie emporblüht, aber auch untergehen wird. Man prophezeit ihr einen 10. August, aber ich zweifele, ob die bürgerlichen Ritter des Juliusthrons sich so heldenmütig zeigen werden wie die gepuderten Marquis des alten Regimes, die, in seidenen Röcken und mit dünnen Galanteriedegen, sich dem eindringenden Volke in den Tuilerien entgegensetzten.«
Lutetia (I), in Heine, Werke 11, S. 240

135,17 Lutetia (I), in Heine, Werke 11, S. 242 f.

135,19 Blanc 1847, II, S. 22

135,22 Heinrich Heine an Betty Heine, in Heine, Briefe 22, S. 270

135,24–136,10 Die Februarrevolution, in Heine, Werke 14, S. 36

136,14–17 Blanc 1847, I, S. 133

136,23 Blanc 1847, III, S. 99 f.

137,1 Blanc 1847, II, S. 193

137,2–4 Blanc 1847, III, S. 58

137,19–138,15 Jenseits von Gut und Böse, Abschnitt 21, in Nietzsche 1930, II, S. 18 f.

138,24–139,4 Vgl. dazu im einzelnen Spencer 1972

139,15–28 Lutetia (I), in Heine, Werke 11, S. 234 f.

140,13–24 Aus dem Nachlaß der Achtziger Jahre, in Nietzsche 1960, III, S. 551, 510 f., 498, 481, 428

141,2–19 Französische Zustände, in Heine, Werke 8, S. 214

142,1 Aus dem Nachlaß der Achtziger Jahre, in Nietzsche 1960, III, S. 431 bzw. 507 f.

142,5–143,9 Französische Zustände, in Heine, Werke 8, S. 215, 437, 646, 424, 471, 566

143,17 Geschichte der Religion und Philosophie in Deutschland, in Heine, Werke 9, S. 179–181

144,12 Vgl. Spencer 1972, S. 138

144,22 Aus dem Nachlaß der Achtziger Jahre, in Nietzsche 1960, III, S. 562

144,27 Karl Marx an Friedrich Engels, 8. 5. 1856, in MEW 29, S. 53

144,29–145,17 Nachwort zu Romanzero, in Heine, Werke 3, S. 173, 174

145,20 Einige Worte über Heinrich Heine von Gustav Heine, in Heine-Geldern, Karpeles 1911, S. 251 f.

145,24–26 Zur Geschichte der Religion und Philosophie, in Heine, Werke 9, S. 157

146,2 Heinrich Heine an Maximilian Heine, in Heine, Briefe 22, S. 316
Sternberger 1970, S. 263
Heinrich Heine an Heinrich Laube, 25. 1. 1850, in Heine, Briefe 23, S. 23 f.

146,19 Heinrich Heine an Heinrich Laube, 25. 1. 1850, in Heine, Briefe 23, S. 23

146,21 Antwort auf die Umfrage »Der stärkste Eindruck« der Zeitschrift »Die Dame«, Berlin, Beilage »Die losen Blätter« vom 1. 12. 1928

147,6–24 Zur Geschichte der Religion und Philosophie, in Heine, Werke 9, S. 160, 159 f.

147,29 Die romantische Schule, in Heine, Werke 9, S. 15

148,12 Nachwort zum Romanzero, in Heine, Werke 3, S. 173

148,26 Heinrich Heine an Betty Heine, 3. 12. 1853, in Heine, Briefe 23, S. 302

Namenregister

Von Fritz J. Raddatz sind erschienen:

Tucholsky Bildbiographie, 1961
Traditionen und Tendenzen. Materialien zur Literatur der DDR, 1971
Verwerfungen. Sechs literarische Essays, 1971
Erfolg oder Wirkung. Schicksale politischer Publizisten in Deutschland, 1972
Georg Lukács, 1972
Paul Wunderlich, 1974
Karl Marx. Eine politische Biographie, 1975
Paul Wunderlich – Karin Szekessy. Correspondenzen, 1977

Editionen

Kurt Tucholsky, Gesammelte Werke, Band 1 bis 3, 1960/61
Kurt Tucholsky, Ausgewählte Briefe 1913–1935, 1962
Marxismus und Literatur. Eine Dokumentation in drei Bänden, 1969
Franz Mehring, Ausgewählte Schriften in 4 Bänden, 1974

Fritz J. Raddatz

Karl Marx

Eine politische Biographie

540 Seiten · Lin

»Fritz Raddatz' breitangelegte Marx-Biographie ist geschrieben aus der Perspektive einer eingehenden wissenschaftlichen Beschäftigung mit dem Phänomen Karl Marx und dokumentiert insgesamt ein höchst beachtliches Niveau, das sich gleichermaßen von blinder Apologetik wie von undifferenzierter Kritik freihält. Raddatz zeichnet den Weg von Marx sorgfältig nach. Der Band ist reich fundiert, voller Anschaulichkeit und Quellenkenntnis, eine Personenschilderung und -analyse von einer Eindringlichkeit, welche in der bisherigen Marx-Literatur kaum ihresgleichen hat. Besonders gelungen sind dem Literaturhistoriker Raddatz die Abschnitte, die von den menschlichen Beziehungen und Spannungen zu den Schriftstellern und Dichtern seiner Zeit handeln.« Peter Stadler, *Neue Züricher Zeitung*

»So sehr die Marx-Biographie von Raddatz im guten Sinne ›undeutsch‹ ist durch ihren lockeren, witzigen, lebendigen Stil, so sehr deutsch ist sie in ihrem kaum verhaltenen Zorn über die Menschlichkeit, Bürgerlichkeit und Fehlbarkeit des getauften Juden Karl Marx aus Trier – des Produktes einer Zeit der Klassenkämpfe und des Autors von Werken, die dem Jahrhundert nach seinem Tode entscheidende Stichworte, Orientierungshilfen und Losungen gegeben haben.«

Iring Fetscher, *Merkur*

Hoffmann und Campe